蛋

白

质

女

孩

安静的发狂者

安静的发狂者，是很耐人寻味的。比方说，王文华。

我认识不少发狂者，多半发狂得很热闹，所以我也比较习惯大声的发狂方式，像王文华这种安静的发狂法，难免令我深感稀奇。

有人大概要问了："王文华有发狂吗？"我的回答是："噢，确实如此，各位，看看他这些文章吧。他岂止是在发狂，他简直是在发春呢。"

安静的、定期的、持续的发春，而完成了一本书。

发言至此，肯定会被高人拦住。有见识的高人，会忍不住这样提醒我："人类整个文明，恐怕都来自安静的、定期的、持续的发春吧！"

是的，没错，莫扎特、毕加索、李商隐，都会对这句话大点其头。只是，这几位的发春对象有时比宇宙还大，有时比细菌还小，使得他们的作品也就跟着有时铺天盖地，有时又像微血管般隐蔽淡漠。

相形之下嘛，王文华君这本《蛋白质女孩》发春的对象，实在是具体到令人为他难为情吧。当然，错过青春的男生，一旦终于理解到这终究还是由漂亮妹妹所主宰的世界之后，仓皇失措是在所难免，其中，当然也就包括了像王文华这样喋喋不休以求自处之道的案例。

王文华这本书显然立意并不高贵，但这却令我心生敬意。此书中处处可见王文华君惊人的意志力、苦心孤诣的揣度模拟、徒劳无功的分类，还有，歇斯底里的押韵。

天可怜见啊，卑微之心，也能因奋力燃烧而绽射光芒，受天谴之王者西西弗斯光推石头，就能产生意义了，王文华君这么用力对付普天下的蛋白质女孩，总不会一无所获的吧？

起码有我把你跟莫扎特扯在一起了呀，王文华。

台湾著名作家、电视节目主持人　蔡康永

CONTENTS

目录

蛋
白
质
女
孩

The protein Girl

CONTENTS ■

The Protein Girl

蛋
白
质
女
孩

The protein Girl

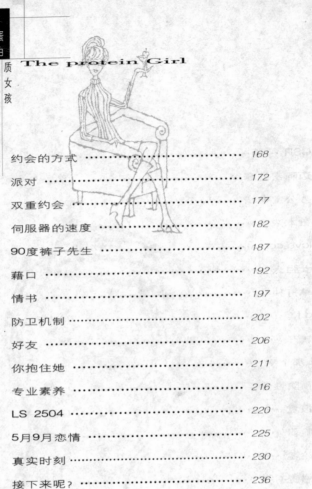

Mon albumine loulou
Ne me laisse qu'une écharpe de plume
Qui tait autour de son cou
Comme un oiseau, mon albumine loulou
Toujours, elle fait son nid
Dans le coeur des amours.

The Protein Girl

■CONTENTS

苍蝇・鲨鱼・狼

苍蝇第一次性经验是在成功岭，然而当时并没有人来探亲。鲨鱼初期是绕着猎物游来游去，中期是"我爱你"整天挂在嘴里，最后则是吃葡萄不吐葡萄皮。狼彬彬有礼、荤腥不忌、攻守有据、处变不惊。约会的对象不限台北，而是全球华人社区……

KEVIN LIANG

苍蝇·鲨鱼·狼

　　台北的男人分成三种：苍蝇、鲨鱼、狼。遇到他们你会了解，人和禽兽真的没什么两样。

　　台北男人有很多问题：缺乏礼仪、大男人主义、不懂得打扮自己，而最严重的是心灵空虚。心灵空虚自然要修身养性，我们可以去学钢琴或念诗经，但是那些活动都镇不住荷尔蒙暴民。心灵空虚时我们追求异性，在这个男无分、女无归、男女不明的城市，大部分男人都在想同一件事情：要么我要娶一个富家女，得到全世界的权力；不然就累积性伴侣，到处占女人便宜。这种想法让台北变成一个求爱丛林，每个男人都想当 Lion King。

　　这当然是不可能的事情。台北男人依道行可以分成三类，第一类是像我们这样的苍蝇。苍蝇戴眼镜、165 到 170、第一次性经验是在成功岭，然而当时并没有人来探亲。苍蝇基本上没什么野心，只是在找妈妈的替代品。对女人我们只敢绕圈飞行，发出嗡嗡的噪音，不咬人不吸血，却怎样都挥之不去。我们在派对看到心动的女子，通常没勇气直接问她的手机。整晚不敢和她接近，结束后又恨天下无不散的筵席。回家后跟主办人打听，特别强调是别人委托你。调查的内容相当彻底，年龄星座有无男友是基本资讯，不过最希望听到的是她有贫血等毛病需要特别照应。

　　联络上后最常做的是温馨接送情。车内装上芳香剂，新买

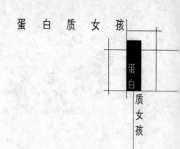

的音响可以装 10 片 CD。车子定期去洗,后座不再乱丢东西。我们希望她每天去云林,可惜她只要到士林。半小时前就在楼下待命,大白天的车上放莫扎特小夜曲。

自从有了捷运,这一招变得不灵。我们只好改变服务项目,搬家、缴费、干洗、送报、买蛋糕、剥葡萄、修电脑、对统一发票。我们是司马昭,但她对我们的情意好像还是不明了。于是我们开始死缠烂打,早上 7 点打电话告诉你今天会下雨,下午 3 点问你要不要吃点心,6 点说我知道东区开了一家新餐厅,11 点说卫视在演《泰坦尼》。我们听不懂女生的婉拒,真的相信"我待会儿会打电话给你"。甚至当女生开始用答录机过滤,我们还以为她没回电是因为去了洛杉矶。我们相信努力和收获成正比,皇天不会辜负有心人的苦心。

第二类是鲨鱼。他们曾翻云覆雨,知道性是什么东西。他们的目的非常清晰,最后就是要吃掉你。受害者通常会终身残疾,日后对好男人也会过度小心。鲨鱼闻血兴奋见色动情,初期是绕着猎物游来游去,中期慢慢露出鱼鳍,然后是"我爱你"整天挂在嘴里,最后则是吃葡萄不吐葡萄皮。他们在派对中主动问你的姓名,总是能找到借口赞美你。哇你做电子商务是时代的先驱,哇你搞土壤肥料真是脚踏实地。回家后他们会E-mail或透过第三者传达情意,文字一定抄自诗集或流行歌曲。和苍蝇相比,鲨鱼有胆量和小聪明。你若没反应他会到你公司门口,碰到你还大叫嗨你怎么也在这里。他请你看电影会说我刚好有招待券,不用掉真的有点可惜。

苍
蝇 · 鲨鱼 · 狼
台北变成一个求爱丛林，每个男人都想当
Lion King。

鲨鱼当然不只是诗情画意，他们也懂适时要买 Gucci。他知道虽然你很有灵性，一双好鞋可能还是会让你动心。他投下巨额资金，最后回收当然要连本带利。他会趁你最寂寞时来按电铃，那时就是要跟你把帐算清。你若说请进请进，半小时后你就不再是 virgin。他前一秒钟还在讲我了解你的心情，后一秒已经在脱你的内衣。鲨鱼只顾满足自己，自然不懂前戏的重要性。他完成后就翻过身去，好像放下了一件沉重的行李。你叫他他没有反应，好像你只是一面墙壁。一觉醒来，他忧郁地点一支烟，好像全世界都欠他钱。你问他我们何时再见，他说最近恐怕没有时间。你睡着后他偷偷离去，你可以确定他不会再约你。日后和别人谈起，还会把你说得很难听。将来你们在街头巧遇，他转过头立刻跳进一辆 taxi。你像是一层油漆，他轻易地就用另一种颜色将你盖去。

道行最高的是狼。他们有英文名字、戴墨镜，打扮得像电影明星。他们有车（两个座位但绝对不是 Smart）、有名（爸爸经常上财讯）、有时间（花半小时吹头发四点就去健身房）、知道台北好吃好玩的地方怎么去。最重要的是他们彬彬有礼、荤腥不忌、攻守有据、处变不惊。小狼们大多集体行动，每人负责约一个明星，包下 pub 角落的包厢，威士忌一开十几瓶。老狼行事比较隐密，你不会在影剧版读到他们的消息。他们约会的对象不限台北，而是全球华人社区。约会时从不西装笔挺，故意casual 来显示自信。他们知道西装会产生距离，而卡其裤可以松懈女生的警觉性。他们约会有固定的程序，没有苍蝇的无赖或鲨鱼的猴急。第一次约会很规矩,送你回家的车上还有司机。第二次带你到香港 shopping,当天来回绝不占你便宜。第三次的饭店是五星级,碰你前会征求你的同意。如果你拒绝,他会有礼地鸣金收兵。安静地送你回家,只是到了后不会陪你上去。回家后他不会去想你拒绝他是什么原因,他知道明天还有很多人等着取代你。

　　台北的男人就是这样填补自己的空虚。有人当然因此找到了终生伴侣,原本是苍蝇结婚后却被太太奉为玉皇大帝,原本是鲨鱼结婚后却突然不举。当然也有人由爱生恨势不两立,对电视新闻的情杀案凶手非常同情,在网路上研究如何毁尸灭迹。最惨的是困在水中的苍蝇或悬在空中的鲨鱼。你追得要死要活,她永远不冷不热。你心有千言万语,她永远是电话答录机。你已经生死相许,她只要你帮忙搬家具。你说你是我第一个爱人,她说我早就不是处女。如此肝脑涂地,你还是充满信心。21世纪,寂寞是每个人的隐疾。我爱你,没有什么能代替。

冰箱坚持喝某种牌子的矿泉水,有没有气泡,有时会要她们的老命。熨斗热情时,她把你的衬衫烧个大洞;不来电的话,等了半天也没有蒸气。洗衣机很直接,如果有兴趣,她会立刻告诉你她的生辰八字甚至生理周期……

冰箱·熨斗·洗衣机

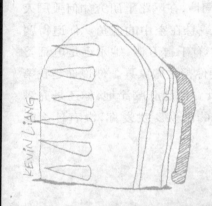

冰箱·熨斗·洗衣机

台北的女人分为三种:冰箱、熨斗、洗衣机。追求她们像使用电器,一不小心就会遭到电击。

让我们先认识冰箱。她们虽然有令人跌倒的美丽,却冷酷得让我们不敢靠近。像冷冻库内的霜,她们白得令人紧张,原因是小时候艳阳高照的体育课,她们都躲在教室内自习。于是她们考上北一女(台湾最好的女子高中),台大毕业后留学纽约或洛杉矶。她们听歌剧、看达利、吃 yogurt、讲话时习惯把声音放低。在满街槟榔的台湾,她们用具有法文风味的名字,Yvonne、Josephine,每个名字听起来都像一种化妆品。她们跟人约在只有英文名字的餐厅,坚持喝某种牌子的矿泉水,有没有气泡,有时会要她们的老命。她们穿黑色、逛诚品、上健身房、看 Discovery。

冰箱有严重的贵族情结。她们自己也许没有显赫的家世,但美貌、学历、高薪使她们眼高于顶。要和她们讲话,你必须是谁的儿子,或必须认识谁的儿子。如果没有家世,你必须任职于外商公司,公司还得有民生东路的地址。开口之后,你得有滑溜的英语,知道 investment banking 是什么东西。如果你口齿不清,她们听你讲话会毫无表情,好像突然得了重听。如果你台湾国语,两句后她就开始眼睛游移,对你说 Excuse me。

冰箱的优点是表里如一,熨斗则忽冷忽热,外表完全无法判定。热情时,她把你的衬衫烧个大洞;不来电的话,等了半天

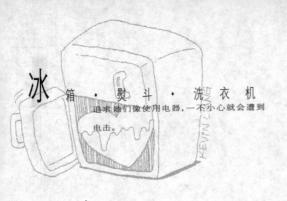

冰 箱 · 熨斗 · 洗衣机

追求她们像使用电器,一不小心就会遭到电击。

也没有蒸气。她们不像电视,故障时有个讯号,你大概知道出了什么问题,打开盖就可以修理。熨斗不高兴时只是沉默且坚硬地坐在一旁,你想修都不知道该转哪里。

你在派对上遇见熨斗,她们看到你的名片,总会夸张地惊呼:"喔,你也在×××! 你认不认识×××?"席间谈话,她会专注地看你,同时猛嚼咖喱鸡,你搞不清她对你是敷衍还是好奇,你搞不清她点头是对你还是对鸡。KTV中,她可以唱王菲也可以学恩雅,你在一旁赞叹之际,她会塞过麦克风来要你跟她合唱一曲。"你为什么都不唱歌?"那么多人她只问你,你觉得受到特殊待遇。聚会结束后你们交换电话号码,她说:"打电话给我,哪天我们去看电影。"你真的打给她、留言,她却不回电话。一个月、两个月,你再试,碰巧找到她。"记得我吗?""你是……"你提醒她你们认识的场合,"喔,对不起,我现在在另一个电话上,我待会儿打给你好不好?"这一待会儿又是三个月。一晚你在诚品喝咖啡,突然间有人用报纸打你的背。你回头,她极度可爱地说:"你怎么都没有打电话给我?"你介绍她给你的朋友认识,她和大家交换电话,临走时又说:"打电话给我,哪天我们去看电影!"

男人最想碰到的是洗衣机。你一身世故污秽,她大方地接受你。你不需用力,她就让你的世界转个不停。随着感情进展,洗衣机还会有各种不同的循环。有时她稍微停一下,只为了准备下一次更激烈的运转。

洗衣机很直接,不和你玩游戏。你打电话约她,她会坦白告诉你她有没有兴趣。"对不起,我很忙。""没问题,你要约在哪里?"如果她很忙,你可以确定她会一直忙下去,不可能哪一天又变卦来找你;如果有兴趣,她会立刻告诉你她的生辰八字甚至生理周期。吃饭时,她喜欢无预警地用餐巾替你擦嘴,你害羞地低头,她会挑逗地在桌下踢你。看电影时,她在情节紧张时握住你的手掌,散场后走在街头仍然不放。上班时,她总是知道在你打瞌睡时打电话来,故意装你老板的声音。睡觉前,她打电话来提醒你第四台正在播的老片,让你回想起人生中与那些影片有关的美好回忆,让你觉得苍蝇也有灵性,因成长而妥协的自己也曾有颗纯真的心。

但是当衣服太多而缠在一起时,洗衣机也会暂停。这时你打开盖子,纠缠错结的衣服一团湿。你爬出洗衣机,像湿衣服一样,未来三个月不断滴水,身上仿佛还闻得到像洗衣粉一样的她的香气。你纳闷着:旋转的激情怎么可能停止得这么彻底?湿淋淋的我要到哪里去寻找烘干机?

她们知道点什么菜、穿何种品
牌、涂哪个颜色的口红、开胸前第
几颗钮扣。挑逗中途会停下来谈宇
宙的真谛,甩掉你后又喜欢在会议
桌下踢你的座椅。

高维修女子

高维修女子

我的朋友张宝替我介绍女朋友。

"我追不到她，但你可以试试。她是一名'高维修女子'，照顾她要一天 24 小时。"

"'高维修女子'？"

"她们像一部设计精密、需要时时维修的机器。"

"你是说她体弱多病？"

"我是说她标准很高、要求很多，对于衣食住行有许多规矩，稍微不如意就拿你出气。她们期望环境和人配合她们，在她们还没开口前就自动猜测和满足她们的心意。如果地板太冷，她们要全世界铺上地毯，也不愿自己穿上拖鞋。"

"你讲得太玄了。"

"举个例，早上上班前，你到 7-11 买东西，柜台前排一大群人，大家都在赶时间，正在付帐的她从店员手中拿回找钱后，会堵在柜台，大刺刺地把钱放进皮包，还慢慢地整理，好像世界上只有她一个人存在……"

"这种女人你还介绍给我？"

"她十分美丽，看到她你会震碎眼镜。当她穿着奥黛丽·赫本式的黑礼服，你会感动地跪在她脚趾前哭。"

我毫不犹豫地答应赴约。到了木栅捷运站旁的这家餐厅，张宝来了，女主角还没到。

"她不是要求很多吗，"我问，"怎么会选这么偏僻的餐厅？"

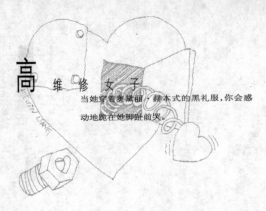

高维修女子

当她穿着奥黛丽·赫本式的黑礼服,你会感动地跪在她脚趾前哭。

"她住在木栅,拒绝去任何木栅捷运线到不了的地方。"

"你是说……"

"我是说我追她的时候只能约在科技大楼或万芳医院,不是谈电脑就是看尸体。"

"她不能坐计程车吗?"

"她讨厌计程车司机开车后锁门、后视镜下挂佛像、听台语节目、不怀好意地赞美她的皮肤。"

侍者送上菜单,我问:"这里什么好吃?"

"这里都很难吃。"

"那我们来干什么?"

"因为她只吃西餐?"

"为什么?"

"她无法忍受一堆人拿着筷子捣一盘菜,她认为那是在吃别人的口水。况且,中餐太油腻,而她和所有美丽的女人一样,体重永远不够轻。对她来说,吃饭就像在床上自己愉悦自己,对健康没有坏处,但良心上总是过不去。"

30分钟过去,她还没有消息。

"她可能去运动了。她每天下班一定要去健身房,衣服紧得令所有男士慌张。跑步时要看 CNBC,练哑铃时其实在欣赏镜中的自己。"

"而且她不吃牛肉,沙拉从不加任何 dressing?"

"没错,她的生活像一本保健辞典!但讽刺的是,她发胶却用得上瘾,她从你身旁走过,你会感觉端出了一桶香水火锅。"

"这样的女人再漂亮有什么用?"

"问题是,她们除了漂亮,还很聪明。我讲的不是北一女台大早上进公司先列一张'今日待办事项'的那种聪明,而是对文明的一种熟悉。她们知道点什么菜、穿何种品牌、涂哪个颜色的口红、开胸前第几颗钮扣。她们去拍卖会懂得叫价钱,到饭店能够免费升级到更好的房间。她们在挑逗中途会停下来谈宇宙的真谛,甩掉你后又喜欢在会议桌下踢你的座椅。和她们在一起你觉得尊贵,觉得刺激,觉得自己在演电影,觉得周围有很多眼睛。难怪她们那么自我中心,因为这其实是她们的世界,我们只是寄居在其中而已。"

我突然有几个月没付房租的恐惧。

"不过这种熟悉发展到极端,就成了看尽千奇百怪后的疲惫。对她们来说,纯真像小学同学,曾经形影不离,如今不知道也不在乎它住在哪里。当她在捷运上看到两名帅哥,我跟你打赌她想到的不是年少时那个附中男生送她的玫瑰花,而是五星饭店里彻夜的 ménageàtrois——"

这时张宝的移动电话铃响,他接起,脸色大变。

"她不能来了!"张宝说,"她今晚得打电话到美国,谈一个100万美元的生意。"

我极度失望,抢过张宝的手机,"她电话几号?"

"她不会来的!"

"她电话几号?"

我拨了号码,对方立刻接起,我故作低沉说:"你在哪里?"

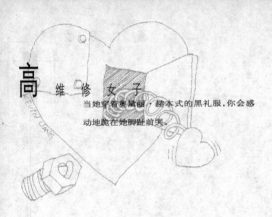

"Richard! 我 在 计 程 车 上 , 马 上 就 到 凯 悦 了 , 你 们 等 我——"

我按掉电话。

"她怎么说?"

"她以为我是 Richard。她说她在计程车上,马上就到凯悦了。"

"她骗我!"

张宝愤怒地拿起手机,我拦下他。我们在骗谁? 我们这种低等动物,高维修女子怎么会看在眼里?

蛋白质女孩

日月座是狮子和双鱼,同时会讲日文和法语。她善良,生理时期还抱起大水桶换饮水器的水,没人注意时还认真做垃圾分类。她负责,影印机塞纸时修理到底,洗完便当后水池一定清理干净……

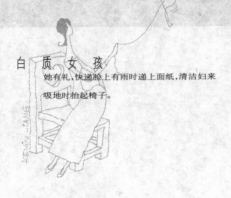

蛋

白　质　女　孩

她有礼，快递脸上有雨时递上面纸，清洁妇来

吸地时抬起椅子。

蛋白质女孩

上礼拜张宝要介绍给我的女子放鸽子，一个礼拜我难过得什么都不想吃。

"别难过，我认识的好女孩还很多。"

"不必了。"

"你不要不知好歹，我介绍给你一个'蛋白质女孩'。"

"她是营养师?"

"她是我同事。她像蛋白质一样：健康、纯净、营养、圆满。和她在一起你会长得又高又壮!"

"我交女朋友不是要又高又壮。"

"你要的是浪漫、激情、冒险、实验、French kiss、奥林匹克金牌的体操姿势?"

"我没贪心到奥林匹克金牌的体操姿势，不过你八九不离十!"

"你几岁?"

"32。"

"不，你23岁! 因为只有23岁那种不成熟的男人才会要那些东西。你记住今天的日期，因为今天我要告诉你一个真理。你要不要去厕所拿卫生纸? 因为我保证你听了后会痛哭流涕。听着：能给你那些东西的女人，通常在一个月或信用卡刷爆后就会对你失去兴趣。那些刺激的女人就像一场精彩的马戏，你可以观赏但最好不要参与。她们的游戏属于专业领域,你充其量只能做她们的驴。她们每一个动作都是特技,你学不会也玩不起。她们注定要四处迁徙,留给你的只有派对后的杯盘狼藉。"

我想起往日那些刺激的女子,她们有紫色眼影和法文名字。初识时她会关心到你的小学老师,第二天就邀你到意大利研究披萨的历史,一个礼拜后她让你体验到人生最快乐的事,一个月后她的移动电话突然没了电池。你打到她家,她说"我这礼拜很忙"、"我最近在节食"、"我的狗得了近视"、"我的拖鞋少了一只",你听完所有藉口,决定到她公司等她。"你难道不再爱我了吗?"你站在她办公大楼门口外追着她问。她给你一个白眼,"我从来没有爱过你!"

但这还不是真正让我呕吐的,真正让我呕吐的是:我也这样对待过别人。那些善良、诚恳、不饿肚子、不绕圈子的健康女子,我要了电话但从来不打,半夜两点却不送她回家。她们每次打来我都说很忙,一边和她们讲话还一边上网。我对她们的关心总是零零散散,把她们的付出当作理所当然。从对她们说谎体会欺骗的快感,用辜负她们作为报复恶女的手段。

"介绍蛋白质女孩给我认识!"我以赎罪的心情大叫。

我们相约去爬阳明山,张宝和我站在山下的超级商店等她。

"不过我得警告你,"张宝说,"她是一个个性很好的女孩!"

我立刻了解他的意思,"没关系,我不注重外表。"

天啊,我在骗谁,男人不注重外表,就像说老虎不嗜肉食。

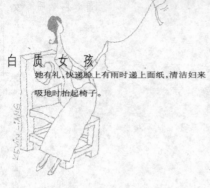

蛋白质女孩

她有礼，快递脸上有雨时递上面纸，清洁妇来吸地时抬起椅子。

我仰头喝一口矿泉水。没关系，我也是灵长类的一员，我可以升华，可以克制。

"我和她也不是一见钟情，在一起后才发现她许多优点，"张宝说，"她日月座是狮子和双鱼，同时会讲日文和法语。她早起，起床后先跑半小时，吃了麦片才去公司。她贤慧，每天做一打火腿三明治，带到公司请同事们吃。她有礼，快递脸上有雨时递上面纸，清洁妇来吸地时抬起椅子。她准时，和你约会前一天打电话确认，第二天寄卡片谢谢你点的果汁。她纯情，爱像宋词唐诗，意境优美对仗工整；性像阿拉伯文，她知道它的存在却不懂是什么意思。她善良，生理时期还抱起大水桶换饮水器的水，没人注意时还认真做垃圾分类。她负责，影印机塞纸时修理到底，洗完便当后水池一定清理干净。她有礼，咀嚼食物时嘴巴从不张开，交叉的双腿一定用裙子盖起来。她浪漫，最喜欢的电影是'第凡内早餐'，失恋后可以好几天不吃饭。她坚强，撞见我在办公桌上和工读生亲密，她还蹲下来为我捡起地上的笔。她……"

远远地，我们看到蛋白质女孩挥手走来。让她改变我的生命吧，我对上帝说，让爱不再有矿物质的冰冷、纤维质的粗糙、胆固醇的油腻、钙质的稀少。让她走进我营养不良的生命，帮助我长得又壮又高。

比赛完后拉拉队去更衣室抢他换下的球衣，巴望在上面收集到他残留的体液。他是全美大学的明星 QB，想和他交往的女生可以从台湾排到陕西……

镭射头

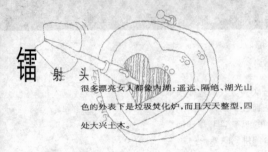

镭 射 头

很多漂亮女人都像内湖:遥远、隔绝、湖光山色的外表下是垃圾焚化炉,而且天天整型,四处大兴土木。

镭射头

有些漂亮女人像内湖:遥远、隔绝、湖光山色的外表下是垃圾焚化炉,而且天天整型,四处大兴土木。

上礼拜张宝为我介绍蛋白质女孩,我才明了过去活得多么悲哀。我第一次感到快乐,像喝了一杯鲜奶:纯净、无味,但充满养分,流过每一条静脉。

"我们爬山回来后,她写了一封信给我!"我向张宝炫耀。

"她写些什么?"

"重点不是她写些什么,重点是这年头还有人写信!不是大哥大,不是 E-mail,是一封手写的信,贴了邮票、封口沾着胶!我看信时可以看到她咬着原子笔,斟酌每一个形容词。我可以看到她跑到邮局,为了让信早两个小时到,站在柜台用那本页缘皱褶的本子查我家的邮政区号。"我欢呼,"她真是一个特别的女孩!"

"就是因为她太特别,"张宝拉下我的双臂,"现在有另一个人也在追她。"

"什么?"我大叫。

"而且还是一个镭射头!"

"'镭射头'?"

"他像镭射一样精准、快速、锐利、聪明。只要他放出光束,绝对在千分之一秒内击中目标。"

我当场倒在人行道上,"那他应该去比赛射击,或帮人矫正视力,跟我抢女朋友干什么?"

"他是哈佛商学院的 MBA,一家银行的总经理。"

"有什么了不起,我是哈佛幼儿园毕业的,我比他先进哈佛。"

我虽然嘴硬,心情却跌到谷底。没想到快乐和绝望的距离是这么近,近到只有一束镭射光的距离。

"他帅,大学时当过模特儿。"(我大学时当义工清扫过化学废料。)

"他是运动健将,高中时当过 QB。"

"什么是 QB?"

"Quarterback。美式足球的四分卫,每次进攻发号施令,决定球传到哪里。比赛完后拉拉队去更衣室抢他换下的球衣,巴望在上面收集到他残留的体液。他是全美大学的明星 QB,想和他交往的女生可以从台湾排到陕西!"(我在高中时得过 TB,叫肺结核。之后体弱多病,爬一层楼梯就喘得不知裤子拉链在哪里。我似乎散发出一种离心力,想和我交往的人都在火星。)

"他年薪千万。"(我的薪水大概不够付他的晚餐。)

"他坐在咖啡厅等人,常用手把浓厚的头发往后翻。"(我尝试同样的动作,已经稀少的头发会再掉一半。)

我反击,"我读过《阿 Q 正传》,我相信这些完美的人一定有不可告人的缺陷,譬如说疝气,因为只有这样世界才公平。"

"疝气?你有没有搞错,他当模特儿时拍的是内裤广告!"

镭射头

很多漂亮女人都像内湖:遥远、隔绝、湖光山色的外表下是垃圾焚化炉,而且天天整型,四处大兴土木。

"那他有口吃!"

"口吃? 他国中参加辩论比赛,把对手讲到举白旗。"

"他英文动词的过去式和过去分词永远分不清!"

"他连家里冰箱上磁铁吸住的蚵仔面线食谱都是用英文记的,我想他处理过去分词绰绰有余。"

"那么……他,他和蛋白质女孩其实有血缘关系!"

"你醒醒吧,这个世界本来就不公平。否则你我何德何能,哪里配认识蛋白质女孩?"

没错,这是男人的劣根性:当我们因世界不公平而受惠时,我们绝口不提;当我们吃亏时,我们对列祖列宗骂三字经。

"等一下,"我回光返照,"如果镭射头这么完美,他大可以去认识模特儿或电影明星,怎么会看上外表平凡的蛋白质女孩?"

"他显然最近大彻大悟,体会到很多漂亮女人都像内湖:遥远、隔绝、湖光山色的外表下是垃圾焚化炉,而且天天整型,四处大兴土木。"

"但我也大彻大悟了啊!"

"你怎么会大彻大悟? 你又从来没认识过漂亮女人!"

"好,也许我悟得没他那么彻底,但我先认识蛋白质,我比他先大彻大悟!"

"比他'先'大彻大悟? 这不是小学,先后没有任何意义!"

我手中蛋白质女孩的来信垂头倒下来,此时我只能看到她写信给镭射头的样子。她大概不用站在邮局柜台前查他

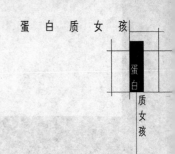

家的邮政区号,镭射头一定住在仁爱安和或敦化南,总之是
106 的高级区。

　　我坐在繁忙的街道,原本如鲜奶般的快乐现在变酸,我
喝不下去,也不知道垃圾桶在哪里。镭射头 QB,我该如何陷
害你?

我知道爱上一个不可能爱你的人的痛苦，就像等第四台来修电视时的那种无助。你和她属于不同的世界，她坐奔驰你挤 254，她穿 Prada 你的鞋两百八，她说法文你讲闽南语，她听德彪西你看布袋戏……

淑女杀手

淑女杀手

上礼拜我发现情敌是镭射头，便沮丧地开始酗酒。

"你要振作起来，"张宝说，"你还有救，让我们来设计一个阴谋。"

"阴谋？"

"没有人会放弃镭射头而选择你，"张宝说，"要赢得蛋白质，我们必须混淆她的视听。"

"譬如说……"

"我们可以造谣说镭射头是同性恋。"

这里我必须解释一个东西。男人与男人之间有一种同胞情谊，一种江湖道义。这种道义的具体表现是一套规矩，这套规矩我们绝不对女人提，因为它是我们在和女性作战时仅存的武器。这套规矩让我们在高中时挤在宿舍夸耀彼此第一次的时间，有人肚子大时介绍诊所热心凑钱。大学时，我们蹲在门外让室友能在屋内爱的初体验，室友第二个女友来查房时带她去吃蚵仔煎。当兵时，我们相互告知华西街可以杀到的最低价钱，同事迟归时骗排长说他吃了不干净的海鲜。入社会后，被厉害女人整了在酒精中彼此安慰，把到高难度女子在奸笑后互相赞美。结婚后，对朋友的外遇绝对保密，互相借钥匙让对方完成一夜情。这套规矩神圣不可侵犯，让男人在一无所有后还能保住友情……

"而这套规矩的第一条……"我提醒张宝。

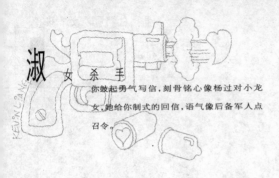

你鼓起勇气写信,刻骨铭心像杨过对小龙女,她给你制式的回信,语气像后备军人点召令。

"不能对别人的性向造谣。"

这条路走不通,我们决定分头去扒粪。

"他大学考军训时作弊!"我们互看一眼,知道这种粪像拉稀。

"他在高中校刊上写过一篇《也无风雨也无晴》,"张宝说,"大意大概是他回首成长过程的种种苦涩,最后却觉得是《也无风雨也无晴》。这小子为赋新词强说愁,简直恶心得可以。"

"不行不行,像镭射头这种男人中的男人,唯一可以挑剔的就是心思不够细密,这个也无什么的东西正好证明了他可以雄壮也可以纤细,既有镭射头又有少女心,如果他刚好又喜欢猫咪和 shopping,蛋白质明天就会跟她举行婚礼!"

我们败兴而归,第二天张宝兴奋地跑来,"我挖到宝了,他是一个'淑女杀手'!"

"他杀过人?"

"淑女杀手的意思是他四处留情,伤了许多女孩的心!特别指那些无意中让女孩爱上他而自己却不知道的男人!"

"太好了!"

原谅我情不自禁地高兴,这并不表示我不同情那些纯情的淑女。我知道爱上一个不可能爱你的人的痛苦,就像等第四台来修电视时的那种无助。她或许是同性、明星、总经理、第一名。你和她属于不同的世界,她坐奔驰你挤 254,她穿Prada 你的鞋两百八,她说法文你讲闽南语,她听德彪西你看

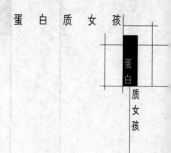

布袋戏。你远远凝望她,她根本没注意到你。你鼓起勇气写信,刻骨铭心像杨过对小龙女,她给你制式的回信,语气像后备军人点召令。

"太好了!"我又大叫一次,"如果蛋白质知道他始乱终弃,自然会和他保持距离!"

"三个月前他在朋友聚餐时认识一个在外商公司上班的珍妮,"张宝说,"吃完饭他们去唱 KTV,他点任贤齐的《我是一支鱼》,唱到副歌时珍妮为他调到正确的 key。之后珍妮唱王菲的《我愿意》,他脚踩节拍轻声地替她和音。'熟悉'的歌声中珍妮说你长得真像哈林,他矢口否认反指她像伊能静。离开时他在电梯里为她拉直衣领,车门关上后他替她解开窄裙。10 分钟后他向凯悦开去,珍妮的同事第二天发现她没换上衣。两个月后珍妮坐在一家没有健保的妇产科大厅,镭射头的手机号突然换成中华电信。他的秘书对任何来电的女子都说老板到纽约谈生意,但当晚有人明明看到他大步走进'官邸'。"

"混帐东西!"

"更精彩的是,"张宝说,"他在'官邸'的女伴是个未成年少女!"

我们立刻闻到血腥,张宝决定去少女工作的百货公司找她。"银行家诱拐未成年少女",这将会是一个多么诗意的报纸标题!

安娜苏

她长得像变坏了的布兰妮，却有
宇多田的大眼睛。她直接、热情、大声
喧哗、百无禁忌。她不穿内衣、吸过毒
品、小腿有刺青、耳环戴在肚脐……

安娜苏

上礼拜我发现镭射头在诱拐一名大学女生,便派张宝去找这名女子查证。

"我恋爱了!"第二天张宝对我说。

"她是谁?"

"安娜苏。"

"安娜酥?"

"她在百货公司的安娜苏专柜工作。"

"安娜酥里面包什么? 蛋黄吗?"

"安娜苏是一种化妆品,擦了后脸像一个布丁。"

"等一等,你爱上了镭射头在诱拐的大学生?"

"她是镭射头的妹妹!"

好极了,我极力想陷害的情敌并没有诱拐少女,而我的军师却爱上了幼齿。

"你不能爱上她! 她对你来说太年轻。"

"你从来没有爱过大学生,不懂得青春的美丽。"张宝说,"从小,我们被教导要按步骤、守规矩。情窦初开时,他们要我们考上建中再想女生。考上建中后,他们要我们进入台大再觅佳人。然后是先留学、先拿 Ph. D. 、先找工作、先升上经理。曾经有人在植物园等我,我失约回家研究牛顿运动定律。曾经有人从台北大老远跑到冈山空军基地,我却躲在营房准备 GMAT。看着她离去的背影,我咬牙告诉自己:只要

安娜苏

有一天当她到达性欲的高峰期,你可能已经在选合适的轮椅。

得到功名,爱情会像空气一样容易。现在我一切关卡都通过了,突然发现青春像公交车过站不停,而我站在人行道上竟完全没有注意。我的年轻是一连串的手段,只为了达到今日的高薪和一大串用不到的员工福利。我总是在为未来而活,今天永远是某种过渡时期。功名拿到,爱却早已睡着,我不再年轻,在日渐稀薄的空气中感到窒息。昨天我看到安娜苏,外面下着大雨,我的心却第一次放晴。她长得像变坏了的布兰妮,却有宇多田的大眼睛。她直接、热情、大声喧哗、百无禁忌。她不穿内衣、吸过毒品、小腿有刺青、耳环戴在肚脐。她公开谈性,好像只是在介绍化妆品。她第一次见面就亲吻我的嘴唇,我感到死而复生!我终于呼吸到新鲜空气,它让我从 30 多年的沉睡中苏醒。"

"你提前进入中年危机,你需要吃镇定剂。"

"我不需要镇定剂,我需要爱情。过去 30 多年我活得像木乃伊,早上睁开眼就开始盘算如何逃避。安娜苏让我觉得爱情不再遥不可及,爱可以像自来水,打开龙头就源源不绝。"

"你付不起这种水费。听着,应付中年危机有更简单的方法,你可以买一辆法拉利。"

"你这个物质的奴隶。"

"张宝,你听我说,你要理智一点。"

"我不要理智,理智误了我 30 年。"

"理智让你每个月 30 号固定领到薪水。"

"我不稀罕,为了她我可以辞职。我们再讨论一起去西藏探险。"

"你不能和她去西藏,你甚至不该跟她去 7-11。"

"为什么?"

"因为你不能和她在一起。你们的年龄相差太大,不说别的,有一天当她到达性欲的高峰期,你可能已经在选合适的轮椅。"

"她爱我,她不会在意。"

"她爱你,她怎么可能爱你? 她们爱的是日剧,她爱你的程度恐怕还不及金城武卖的手机。"

"你不懂我们的爱,昨天第一次见面她就当众亲吻我,激烈到压坏了我的眼镜。我人不帅,又没有钱,如果不是真爱那是什么?"

"她只是想跟你玩玩。你是典型的压抑的中产阶级:穿黑袜、坐捷运、为抢到位子而沾沾自喜,把一个月一次的shopping 当成是心灵洗涤。她知道你花半年考虑买哪个厂家的空调机,花一年计划三天的泰国之旅。她知道你吃了一颗巧克力就罪恶地三天不吃早餐,加入健身房却从来没时间去。她知道你渴望冒险、刺激和危险性游戏。她爱你是要解放你,她把跟你交往当作是一场革命、一种证明。"

"不要说了,你只是妒嫉。"

"好,就算我们不计较她的动机,你难道不在乎别人怎么看你?"

安娜苏

有一天当她到达性欲的高峰期,你可能已经

在选合适的轮椅。

"我不在乎。伍迪爱伦的太太还不是比他年轻。"

"伍迪爱伦是艺术家,你是银行经理。"

张宝甩掉我向远方走去,坚定的态度仿佛国父孙中山当年要推翻清廷。我该如何拯救我的好友?我该如何说服他:自来水也可以致命?

他喜欢空中补给的歌曲,对你来说空中补给只是做爱的一道程序。他喜欢余光中的乡愁四韵,你的乡愁是两天没去台北东区。他穿的夹克价格一百一,你的衣服清一色是 agnes b……

486

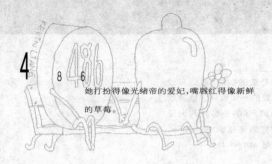

她打扮得像光绪帝的爱妃,嘴唇红得像新鲜的草莓。

486

上礼拜我发现张宝爱上大学女生,我劝他这是没有结果的感情。他不听,我决定直接去找这名少女。

我走到她上班的安娜苏专柜,震慑于她年轻的美。她打扮得像光绪帝的爱妃,嘴唇红得像新鲜的草莓。

"小姐,我可不可以看看那个眼影?"

她对着镜子试眼影,完全无视我的存在。

"小姐——"

"我不会离开他的!"

"你说什么?"

"你是张宝的朋友,你想劝我离开张宝……,我看过你们的毕业照。"

说完她和同事换班,朝百货公司地下室的美食街走去。我一路追赶,在她的桌前坐下。

"你们不适合,他老得可以当你爸爸。"

"我爱他,年龄不是问题。"

"小妹,相信我,年龄永远是问题。你们的生活完全没有交集。他喜欢马龙·白兰度的电影,对你来说马龙·白兰度只是人必须减肥的原因。他喜欢空中补给的歌曲,对你来说空中补给只是做爱的一道程序。他喜欢余光中的乡愁四韵,你的乡愁是两天没去台北东区。他穿的夹克价格一百一,你的衣服清一色是 agnes b。他喜欢吃桃源街的大卤面,你只喝水果味的矿泉水。他喜欢拼装二次大战的飞机模型,你对机械的兴趣仅止于 Nokia 的新型手机。他有余钱通通去买共同基金,你的薪水全部花在 Hello Kitty。他的偶像是白手起家的王永庆,你所崇拜的是金发碧眼的男孩特区。他休假时陪老妈去大陆探亲,你唯一和你妈讲话的机会大概是房租到期。他每晚走在街上寻找的是 LOVE,你每晚走在街上寻找的是 BCBG。他像植树节,很少人记得它存在的原因,没有人把它放在眼里。你像圣诞夜,明明是圣洁的时间,狂欢纵欲却藉它横行。他人生的目标是——"

"你怎么没戴安全帽?"

"安全帽?"

"是啊,因为你没有安全感,所以才把我们看得如此简单。我不喜欢 Hello Kitty,也不喜欢男孩特区。我喜欢'岸上风云'和陀思妥耶夫斯基。我现在努力存钱,希望一年后能买我的第一架相机。两年后我要去拍西藏和南极的风景,三年后我要去纽约视觉艺术学院拿一个摄影的 degree。当然这些对你来说没有任何意义,在你的世界,这些都是功课不好的人搞的玩意。"

我确实吃了一惊,当你有那样的脸蛋和身材,通常你不用计划周末以外的事情。"好极了,那你应该好好追求你的理想,何必为爱情分心?"

"分心?你年纪大我一倍,对爱了解不及我的二分之一。对你来说,爱是第四台节目屏幕旁跑过的字,是一种分心,不

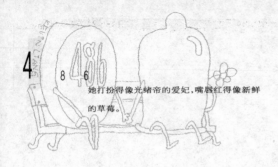

她打扮得像光绪帝的爱妃，嘴唇红得像新鲜的草莓。

是主体。是一种额外资讯，不是压轴好戏。是一种调剂，可以选择使用的地点和日期。是一种演习，程序繁复但没有血肉痕迹。是一种点滴，慢慢流过没有剧烈的反应。是一种日记，适合回忆但不能履行。你坐在家里，读几本简·奥斯丁，租两部法国电影，就以为自己懂得爱情，你懂个屁！我告诉你爱是什么。爱是一场即兴剧，台词不顺但充满惊喜。爱是一场大雨，来去匆匆你毫无逃避的余地。爱像'拯救雷恩大兵'，生与死不凭技巧只看运气。爱像一场车祸，刹那发生追究不清原因。爱像照胃镜，痛苦不堪但完整彻底。爱像这个……"

她拿出一颗药，放在我眼前，"你知道 486 是什么？"

"一种旧式的微处理器？"

她吞下药，"RU486 是口服堕胎药。"

我张大眼睛，她喝水将药冲下，我立刻抓到把柄，"亏你还好意思告诉我爱是什么，你和张宝只是性而已！"

她不屑地站起来走开，我跟上去，她说："你根本没听懂我的话。我已经告诉你爱无法准备、无法预期，性当然也是同样道理。你以为性和爱是两种东西，发生有固定的程序，像吃荔枝要先剥皮？视窗 98 之前一定是 97？那样的爱无从着力，那样的性只是升旗典礼。真正的爱与性是同一样东西，像一只篮球，前后只看你从哪个角度看而已。"

我虽明知她在强词夺理，一时却不知如何反击，我使出最后绝招，"张宝已经有女友了！"

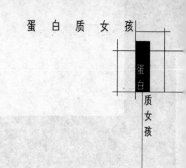

她停下，"是谁？"

"她……她……她是他银行的同事，她是一个蛋白质女孩。"

她笑一笑，"另一个 MBA？哼，我知道这种女人，典型的中产阶级，拿到信用卡的帐单立刻付清，半年前就开始等待三天的连续假期。为 TVBS 又开始播艾莉的异想世界而高兴不已，整天读 EQ 的书却没摸过男人的胡须。上班唯一的乐趣是把笑话 forward 给陌生人，下班唱 KTV 永远点同一首歌曲。张宝会爱上她？我不信！"

我不但没有说服她离开张宝，她的话反而让我怀疑起我和蛋白质的感情。蛋白质真的这么平淡？我对爱情真的这么懒散？她在追求激情浪漫，我只要长治久安？张宝解放了，那我呢？

她温柔善良、贤慧端庄，我仰慕她，想颁给她一张奖状，我充满敬意，接吻途中想跟她行礼，我不能和我仰慕的对象发生亲密关系……

百分之十的肉体

百分之十的肉体

上礼拜我去找张宝的大学生女友,她充满生命力,不但让我不再反对他们的恋情,也让我开始怀疑我的蛋白质女孩是否因太过完美而缺少人气。

"电影里那些天使不是都自愿下凡到人间体验喜怒哀乐生老病死,因为那才叫真正活着。蛋白质是一个还留在天堂的天使,永远微笑,永远好脾气,永远在对不起,永远记得吃维他命C。和她在一起我觉得在演戏,活得完全不见底。"

张宝说:"我不知道你在说什么,我只知道她是一个好女孩,辜负了她你可以下地狱。"

我决定约蛋白质出来,激发她丑恶的人性。为了激怒她,我告诉她我在暗中陷害镭射头。她竟然倒在我怀里,眼睛眯成一条细线,"在你和镭射头之间,我永远会选择你。"

"为什么? 我又瘦又矮又不帅,信用卡的帐永远付不出来。"

"你有幽默感。"

"我? 我最喜欢的电影是柏格曼的'第七封印',看'哈啦玛莉'的反应像在看'拯救雷恩大兵'。"

"我爱你只有一个原因:因为你是你!"

刹那间天堂大开,温暖的阳光射下来。当你经过多年的被拒绝,你慢慢忘记爱这个字该怎么写。你开始相信爱情是贵族的特权,而自己生来贫贱。你开始相信爱情是一种生意,有成

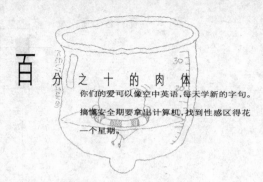

百分之十的肉体

你们的爱可以像空中英语，每天学新的字句。

搞懂安全期要拿出计算机，找到性感区得花

一个星期，

交的条件和行情。你不再相信自己，只相信手中握有的资金。你拚命赚钱、努力成名，社会地位一点一滴地累积。你好像在说：你不爱我没关系，你可以爱我拥有的东西。你不再记得多年以前的夏季，隔壁班女生假装来问你数学习题，那时你的青春痘像数字一样没有止尽，成绩是班上的第 54 名。你不再记得你曾和两百多人挤在一个小房间补习，那个中山的女生突然转过头来看你，下课后她朋友来问你朋友，约你到她们学校看'甘地'。你不记得爱曾经是没有条件、不合逻辑，唯心唯性的一种东西。我爱你，因为你是你。

我抱着感恩的心向蛋白质靠近。她打开我的钮扣，我拿掉她的眼镜。她收起我的钢笔，我关掉她的手机。她解开我的皮带，我摸到她的……

"然后呢？"第二天张宝问。

"然后我发现我不能继续。"

"为什么？"

"因为她是一个圣女！"

"圣女又怎样？"

"她温柔善良、贤慧端庄，我仰慕她，想颁给她一张奖状，我充满敬意，接吻途中想跟她行礼。我不能和我仰慕的对象发生亲密关系！"

"为什么？"

"因为她太神圣了！昨晚当我和蛋白质在一起，我感觉自己在参加升旗典礼，一切是那么纯净、正义，我完全没有任何色情的情绪。"

"你需要看心理医生。照你这种理论,只有连环杀手才是理想情人。"

"也许不用到连环杀手的程度,但至少不可以是循规蹈矩的好女生。"

张宝要反驳,我说:"想想你喜欢的安娜苏……"

他无言以对。

"所以我说,性是百分之百的心理……"

我们同时回忆起仅有的几次经验,然后我自动修正,"好吧,也许有百分之十是肉体。"

第二天蛋白质打电话给我,我没有回。她又打了三天,我告诉自己加班加得很累。

"你这个蠢蛋!"张宝骂我,"蛋白质在台湾教育体制下成长,当然不可能像唐朝女子那样豪放。她们高中不能留头发,大学 10 点前得赶回家。牵手就要验孕,接吻就要结婚。但就因为她如此纯真,爱她才有无限可能。你们的爱可以像空中英语,每天学新的字句。搞懂安全期要拿出计算机,找到性感区得花一个星期。你们的爱可以不断拍续集,每一集都有新意。"

"你讲得也有道理。天啊,我迷惑了,我不知道我出了什么问题。"

"你的问题很普遍,你和很多男人一样:贱!"

他的直接将我点醒! 没错,女人是复杂的动物,男人都是猪。我们费尽心思追求的东西,到手后却弃如敝屣。不再拥有

百分之十的肉体

你们的爱可以像空中英语，每天学新的字句。
搞懂安全期要拿出计算机，找到性感区得花
一个星期。

的感情，突然间都变成黄金。是，不再拥有的感情……

我立刻打电话给蛋白质。

她妈妈说她跟男朋友出去了……

艾萨阿西莫夫

在一个遥远的星球,星星 1000 年只出现一次。当它们出现时,那景致太过美丽,全星球的人都发了疯……

艾萨阿西莫夫

上礼拜我未曾珍惜的蛋白质女孩变成别人的女友，为了麻醉自己，我和张宝跑到台北最大的舞厅。

我一走进，艾萨阿西莫夫就发生了。

"'艾萨阿西莫夫'？"张宝问。

"艾萨阿西莫夫是美国科幻小说家。他有一个短篇叫'夜'，讲在一个遥远的星球，星星1000年只出现一次。当它们出现时，那景致太过美丽，全星球的人都发了疯……"我边说，边指着吧台旁身材弧度像北斗七星的女人，"那就是1000年只出现一次的星星！"

张宝摇头笑笑，"30乘以9等于多少？"

"270。"

"你能追到她，就像你能活到270岁的机率。"

我们看着一名美女。唉，美女，多么贫乏的字眼，好像称鲸鱼为鱼，不合逻辑，只是突显了我们缺乏想像力。她独自站在那里，自成一个星系。一群男人环绕着她，仿佛人造卫星。她冷漠，没有人敢上，好像知道她的大气层缺氧。她好身材，没有人敢多看，怕裤子突然变小不能穿。她的嘴唇发光，像诱导的灯塔。她的腿长，适于紧急迫降。

"她和我们不属于同一联盟。"张宝说。

"联盟？"

"每一种职业运动都有联盟，实力相同或地域接近的球队分在同一联盟。爱情也是。你想不想认识萧蔷？当然想，但她一件衣服抵得上我们一年的房租，所以她和我们不属于同一联盟。吧台旁的女人，不但和我们不同联盟，她根本和我们是不同的运动！"

"我的爱能飞越联盟！"

"你的爱爬都爬不动。这就是你交不到女朋友的原因，你自不量力，精神都耗费在无谓的期望和伤心。幻想那些遥不可及的女人，你的心会痛得像被狗啃。你要相信，那些女人拒绝的不是你，而是你的阶级。"

"你干脆一次告诉我，哪些女人和我们不属于同一联盟。"

"在以英文名字互称的公司上班的女人、公司有'助理副总裁'这种头衔的女人、办公室在 20 楼以上的女人、用'Project'这个字眼来描述手边工作的女人、迷恋财务杠杆或其他大型杠杆的女人、懂得'台股期指'和'殖利率'到底是什么东西的女人、意大利字知道得比英文字多的女人、头发挑染成红棕色的女人、去香港的频率超过去万华的女人、因为认真而美丽的女人、E-PHONE 广告中的女人、日常对话中会用到'宰制'、'父权'，或'后殖民论述'等字眼的女人、穿黑色内衣的女人、戴紫色墨镜的女人、家里有两面镜子以上的女人、有移动电话却从不开机的女人、去过瑞士的女人、会咬着一根红玫瑰跳探戈的女人、吹长笛或弹钢琴的女人，还有任何知道 S&M 不代表 Sales & Marketing 的女人。"

"照你这样讲，这世上和我们同一联盟的女人只剩下我

阿妈。"

"或许再加上我们公司倒垃圾的欧巴桑。"

"你怎么这么没自信?"我教训张宝,"好歹我们也大专毕业,混过美国的野鸡大学。现在的薪水虽然不高,至少有年假和劳保。吧台旁那个女人虽然漂亮,但智力也许还停留在丽婴房,她没通过托福的听力测验,出国通常是两周而不是两年。她以为陀思妥耶夫斯基是一种家禽,托尔斯泰是一家泰国餐厅。她以为梵谷是一个地方,塞尚通常用来灌肠。"

"梵谷不是一个地方?"

"你要相信:文化让我们有气质,学历让我们有魅力。"

"你怎么这么迂腐?"张宝说,"这不是台大同学会,谁在乎你毕业后又拿到什么学位?你如果上去跟她搭讪,她不问你的学历,只看你的 Porsche。你如果带她回家,她不看你的奖状,只问你的银行。"

"我就不信。"说完我正要走过去。

"你完全没有成长。弱水三千,你要饮掉一缸。出身贫贱,偏偏爱摆排场。你难道不记得我们是高维修女子的手下败将,发誓从此要追求善良而不是胸腔?你现在又去找这种火山爆发型的女人,想靠她的岩浆让自己解渴清凉。你知道她永远不会和你卷起袖子拼装 IKEA,下班后赶到医院探望你妈。你永远不可能请她吃贡丸汤、15 块的蛋饼就让她高兴一早上。"

"我知道我们的差异,但是爱可以让我们合为一体。"

"你明明知道她不可能爱你,勉强和你在一起也只有性和

shopping。你永远都会怀疑她爱你的动机，每一天都在紧张你的幸运会突然到期。当她在你身边时你不准她接手机，她谈起别的男人你就认定他们有暧昧关系。她不在时你觉得她和别的男人在一起，到她家时会仔细寻找不是自己的男性内衣。于是你步步进逼，一定要她每天说爱你爱你。半小时查一次勤，她每天下班你都说'我送你'。最后她终于承受不住压力，不愿再与你的不安全感为敌。"

　　我同意张宝的每一句话，但我的脚却一步步走向她。我有一百个不要和她搭讪的理由，但此时我唯一能想到的是她能把我变成野兽。当星星出现时，那景致太过美丽，全星球的人都疯了。

有些事情是浪漫的杀手。接吻时闻到对方的口臭，爱抚时摸到胸前的肿瘤。亲她手指舔到指甲里的污垢，说我爱你时她背后痒一直在抠。激动时她呻吟的法文你听不懂，紧要关头你的手机来电震动⋯⋯

浪漫杀手

上礼拜我在舞厅看到一名火山美女,不顾张宝的劝告,我
上去和她搭讪。十分钟后,我回到张宝身旁,他幸灾乐祸地说:
"我不是告诉你,那样的女人只看得上金城武或王永庆,以你的
外形和财力,甚至不配当她的计程车司机。"

"她的名字叫 Tracy。"

"她把名字告诉你?"

"我还知道她在花旗,公司的电话是 23836341。她是一名
财务经理,毕业于台大外文系。硕士在威斯康辛,在留学生圈
子是有名的味精美女——"

"味精美女?"

"很多男人为了追她,假装到她家借味精。她善良温暖,主
动约男生聊天吃饭。她体贴周到,过年送同事自己做的年糕。"

"等一等,你是说在魔鬼的身材下,她其实是个蛋白质
女孩?"

"岂止是蛋白质,她简直是灵芝!"

张宝开始气喘,我一身冷汗。多少年来,我们挣扎于两极
化的世界观:漂亮的女人不聪明、聪明的女人不漂亮、漂亮又聪
明的女人不善良、漂亮聪明又善良的女人有独特的性向、漂亮
聪明又善良的异性恋女子不会看上我们这种苍蝇王。所以我
等蝇辈必须在肉体和心灵间抉择:一条毒蛇,或是一支百合;一
分钟的过瘾,或是一辈子的温馨。就在我们犹豫不决时,漂亮

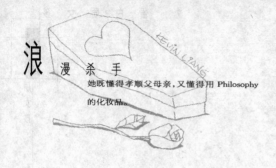

浪漫杀手

她既懂得孝顺父母亲，又懂得用 Philosophy 的化妆品。

的、聪明的、不漂亮的、不聪明的，统统离我们远去。我们大概也年届 50，星期六晚上唯一能做的事是写毛笔字。"

"她是一切的答案，是上帝存在的证明！"张宝赞叹。

"她约我明天去日月潭。"

"她约你？"

"我拒绝了。"

"你……"

"我不能和她在一起。"

"为什么？"

"因为她讲台湾国语。"

有些事情是浪漫的杀手。烛光晚餐时撞见她前任男友，倒红酒时酒杯一直在漏。挑逗她时她说你长得像我舅舅，送她回家车子在半路漏油。在她阳台下唱歌吵醒邻居的狗，带她回家时发现遭了小偷。走进卧房满地的袜子没收，脱掉衣服看到她肚子上有一个伤口。接吻时闻到对方的口臭，爱抚时摸到胸前的肿瘤。亲她手指舔到指甲里的污垢，说我爱你时她背后痒一直在抠。激动时她呻吟的法文你听不懂，紧要关头你的手机来电震动。她如厕后才发现马桶不通，你去清理时发现里面有寄生虫。

"台湾国语也是一种浪漫杀手。"

"她这么年轻，国语会差到哪去？"

"她对我说'窝爱里，拜弊！'"

"什么意思？"

"'我爱你,baby!'"

"所以基本上所有的甜言蜜语都变成……"

"猜谜游戏!"

"你现在面临一个抉择,"张宝郑重声明,"她是你这辈子和下辈子所能碰到最好的女人。她美丽、性感、聪明、热情。她有蛋白质的心地,又有高维修的外形。她既懂得孝顺父母亲,又懂得用 Philosophy 的化妆品。她唯一的缺点是台湾国语。你难道要为这一点小问题而放弃终身幸福的可能性? 想想看,你算老几,能遇到她已经是你的福气,正常状态下你只配当她鞋底粘着的脏东西!"

我知道张宝讲的有道理。所有单身男子都有一种劣根性:我们自己虽然有隐疾,却总是在等待完美女人的来临。眼前的爱人永远不值得我们终身相许,因为我们爱的其实只有自己。

"语言在生活中的重要性其实很低,"张宝劝我,"人生最快乐的三件事:吃饭、睡觉、亲密关系,其实都不用开口……"

我正在想有没有道理,张宝立刻修正自己,"就算开口,也不用发出声音。"

张宝补充,"幸福的关键不在于找到一个完美的人,而在找到任何一个人,然后和她一起努力建立一个完美的关系。恋爱不是在买肥皂洗发精,你可以指定某种品牌,打开包装立刻用得愉快。恋爱的人应该像园丁,种子握在手里,开出什么花完全看你付出的心力。"

我明知这是张宝从励志书上抄来的狗屁,午夜两点的此时

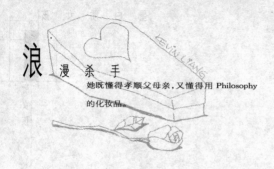

浪漫杀手

她既懂得孝顺父母亲，又懂得用 Philosophy
的化妆品。

却也令我心有戚戚。我看着舞厅另一角落的火山美女，她灿烂
的笑容像一颗划过的流星。我拿出手机，按下她的手机号码，
铃声响起，是的，Tracy，不完美让我们更努力，让你的台湾国语
变成我的靡靡之音。

那些宣称没有找到幸福的人，只是没有了解幸福的真谛，明明已经走进幸福的门，还在抱怨里面的冷气不冷。他们牵着怀孕太太的手，却在注意喷火女郎的乳沟。孩子第一次开口叫他爸爸，他还在想明天要不要给情妇送花……

因为我值得

因 为 我 值 得

快乐是一种人权,你不需以善事来交换。幸
福是一种空气,任你自由呼吸。

因为我值得

上礼拜我在舞厅认识台湾国语,第二天我约她出去。我们
在麦当劳买奶昔,我拿过发票,她记得把吸管放进去。

"我爱她的细心,"第二天我告诉张宝,"我约她时怕被拒
绝,她故意说已经等了我半个月。我在她公司楼下等她,她迟
到一分钟就拨我移动电话。她出现时亲吻我送的花,骗我说我
看起来很潇洒。我问她想去哪里吃饭,她说去你最喜欢的那一
家。晚餐时我想点炸酱面,她劝我不要吃得太咸。走进戏院之
前,她问我要不要去洗手间。散场出来之后,她坚持要给我票
钱。回到她的房间,她给我看小学的照片。午夜两点我们告
别,她说下次要留晚一点。送我上计程车,她叮咛说到家后立
刻来电。跟她在一起我觉得轻松,眼前没有任何观众。和别的
女人出去我像在办活动,每个步骤总是迟两分钟。"

"你终于找到你的最爱,你一定觉得很快乐。"

"一点也不。我没伴惯了,总觉得一个人的悲惨是生活常
态。现在我终于快乐起来,却担心不久后就会有更大的灾难。
它将把台湾国语带走,我的生命会像破掉的气球。礼拜一晚上
在公司加班,礼拜二晚上在桃源街点一只卤蛋,礼拜三晚上在公
交车上睡着坐过站,礼拜四晚上独自在吧台喝龙舌兰,礼拜五晚
上看电影碰到客满,礼拜六晚上录影带租到盗版,礼拜天晚上一
件件熨下礼拜的衬衫,礼拜一晚上再开始加班。我将会回到没
有爱的日子,只是这一次我曾经沧海,对于孤单将更难忍耐。"

"你怎么这么悲观？你要相信你已经到达终点站，今天的快乐将会永远与你同在。"

"为什么？我这辈子没做过善事，我不配得到快乐。"

"因为L'Oreal。"

"因为没人要？"

"你快乐，因为你值得。快乐是一种人权，你不需以善事来交换。幸福是一种空气，任你自由呼吸。那些宣称没有找到幸福的人，只是没有了解幸福的真谛，明明已经走进幸福的门，还在抱怨里面的冷气不冷。他们牵着怀孕太太的手，却在注意喷火女郎的乳沟。孩子第一次开口叫他爸爸，他还在想明天要不要给情妇送花。"

"他们身在福中不知福，但我是害怕今天的幸福明天就会变成痛苦。"

"明天的事你无法预料，担心它只会让你的血压升高。明天你的玻璃杯也许突然起毛，水泥地上突然长出香蕉。台湾国语也许不再爱你，但你和另一名美女被困在停电的电梯。你唯一能做的是多吃青菜、台积电（台湾积体电路公司的简称，是目前台湾表现最好的股票）尽量买、有机会多做爱，别太早有小孩。你唯一能做的是把握现在。"

"所以我应该轻松享受这一切？"

"你该享受，但不能轻松。快乐需要经营、需要培育、需要用力吸。你昨天带台湾国语去哪里？"

"我们去吃饭，然后看电影。"

"有没有送她花，说了什么情话？"

"感情何需言传,我只是含情脉脉地看着她。"

"你别犯傻。你含情脉脉地看着她,她以为你眼睛进了沙。感情当然要言传、要口传、要用到身体每一个器官。你们还在一见钟情的阶段,你看上她身体的比例,她看上你处男的拘谨,你喜欢她一些独特的表情,她喜欢摘掉你厚重的眼镜。你想这能维持多久? 不久后她将发现你袜子一穿三天、有时候一星期没有大便。你会发现她的背上长癣、换内衣时不拉窗帘。当一起生活的磨擦慢慢出现,你们初识的好感还能维持几天?"

"那我怎么办?"

"你们要培养一致的兴趣、搜集共同的话题、沟通每一种情绪、发脾气前先想如果我是你。你们要设法让两人的生活合而为一,这样就不会有挑剔对方的余地。"

我想起过去每一段失败的感情,都因为我只想到自己。她们只是我向朋友炫耀的话题,心神俱疲时急救的点滴。忍受我不时的孩子脾气,帮助我自己宠坏自己。我何曾想过她们的快乐在哪里? 何曾想过她们也有帐单和老板、贷款和胃酸,她们也有挫折等着疏散、情绪等着分担。我对幸福充满不安全感,因为自私的幸福无法循环。只有当幸福的来源是让别人快乐,它才可能在不稳定的世界中源源不断。

我转头向台湾国语的家跑去,我第一次了解到爱里面不一定要有自己。此时我多么想知道她爱看哪个连续剧、喜欢吃什么东西、失眠时听哪首歌曲、身体哪些部位是性感区。我要让她快乐,高潮时叫我哥哥;我要让她幸福,因为我值得。

年轻 MBA 俱乐部

她们浓情蜜意,但不会半夜跑来哭哭啼啼。她们主动积极,但不会两天不见就开始跟踪你。你可以予取予求,她们也不会要求做你女朋友。你可以花天酒地,她们也不会一直打你手机……

年轻 MBA 俱乐部

上礼拜我爱上台湾国语，上上礼拜张宝爱上安娜苏，因为
各自有了感情依归，我们一个礼拜没有聚会。星期六下午，张
宝急忙跑来找我。

"糟了，老板叫我去参加'年轻 MBA 俱乐部'的聚会!"

"什么俱乐部?"

"'年轻 MBA 俱乐部'，会员都是刚毕业的 MBA。"

"这个聚会在干什么，讨论财经大计?"

"其实比较像凤凰卫视的'非常男女'。"

我早已耳闻这个组织，申请加入却被拒绝了好几次。聚会
通常由某外商发起，获邀的公司都在台北东区。你的公司必须
有漂亮的英文缩写，BOA 和 ABN 最受欢迎。五男五女在凯悦
喝下午茶，表面交谊暗中是集团相亲。这种交往有极高的成功
率，因为大家背景相同都考过 GMAT。女生都是异想世界里
的艾莉，精明能干但感情生活极度空虚。男生都打扮得像瑞奇
马丁，香水浓到令人想戴防毒面具。下午茶若喝得对味，晚饭
后可以再来一杯。那杯若再喝得对嘴，晚一点再一起去钱柜。
第二天早上通常宿醉，睁开眼的第一句话是"你是谁"。

"你怎么知道得这么清楚?"张宝问。

"我当过'备援族'。"

"什么族?"

"星期六下午见面，来电的可以 party 到第二天，不来电就

必须速战速决。这时某男士,比如说 Michael,会假装去上厕所,其实是在马桶上打电话给'备援族'。我会在他回到席间十分钟后打他手机……"

"喂,Michael 在吗?"

"嘿,是你。"

"Michael,晚上我要搬家,拜托来帮忙。"(搬家? 我甚至懒得离开我的卧房。)

"今天晚上?"Michael 故意把声音放大,"不行哎,我和朋友在一起。"

"拜托拜托,我家具一大堆,一个人搬不动。"(我只有一只皮箱和一个钟。)

"晚上真的不行,我和朋友约好了。"

"你不帮我搬,我就要自杀。"(显然我看多了八点档。)

"好好好,我试着跟朋友解释一下,"Michael 摇头,"唉,你真让我为难。"

我挂电话,Michael 说:"对不起,各位小姐,我朋友临时需要我帮忙,我得先走了,我们再联络!"(翻译:我们不会再有往来,祝你们一生愉快。)

听到这里张宝摇头,"猪哥男人一栏,原来你是共犯。"

"我只当过一次而已,大部分的聚会都到深夜才散。"

"所以来电的次数还颇为频繁。"

"因为主办人找的都是'九头身'美女。"

"她们有九个头?"

"她们头和身体的比例是一比九。"

我们无言以对,各自闭上眼幻想那双美腿。

"不知为什么,"我先清醒过来,"漂亮女人对在银行工作的男人特别有兴趣。男人对她们也十分来电,因为她们爽口而不粘。"

"'爽口而不粘'?"张宝皱眉,"你又不在那个圈圈,行话怎么这么熟练?"

"她们浓情蜜意,但不会半夜跑来哭哭啼啼。她们主动积极,但不会两天不见就开始跟踪你。你可以予取予求,她们也不会要求做你女朋友。你可以花天酒地,她们也不会一直打你手机。有一天你变心,她们不会用怀孕来留住你。有一天她变心,搬走时会把你家收拾干净。"

"天啊,这些男人简直把女人当家具。"张宝严加斥责,我同声附和,我们心里却同时在想这样的好女人在哪里。

张宝说:"这样的女人就在凯悦 lobby,老板的命令我不得不去。"

当你想要背叛爱人,藉口总是来得容易。我看着张宝走向信义计划区,他和安娜苏的誓言已被调低了利率。他回头看我,"你是我的'备援族',我 5 点打电话给你。"

"一定!"

是的,猪哥男人泛滥,都靠我推波助澜。

你们的床将异常拥挤,两个人睡有三个人的体积。你永远无法战胜你的情敌,有血有肉的你怎么比得上一段美好的回忆……

篮板球情人

篮板球情人

上礼拜张宝去参加年轻 MBA 俱乐部的聚会,我和台湾国
语度过快乐的一天。

"我必须和台湾国语分手。"第二天我对张宝说。

"你疯了?"

"我是她的篮板球情人。"

你碰到一个好女人,你明知自己不符她的标准,但你爱上
了她。她看着你,明知你没有外貌或才能,却和你互托终身。
你庆幸自己的狗运,菩萨庙还愿跑得很勤。别人看你们两个出
去,感叹鲜花真的插到牛粪里。你知道这世上没有公理,但你
占到便宜便没有抗议。有了她你别无所求,不再每半个小时从
外面打电话回家听答录机。你改掉了多年的坏脾气,内衣也开
始每星期固定去洗。袜子不再丢得满地,以防她突然来到家
里。一个月后,星期六的早上你到她家接她去踏青,电铃按了
半天没有反应。你拿出她给你的钥匙开门进去,走过凌乱的客
厅。然后看到她坐在马桶上,手里拿着旧情人的照片哭泣。

"原来这一个月她爱的不是你,她只是要藉你把另一个人
忘记!"

"是的,而我和那个人有如天堂和地狱,和我在一起要忘掉
他非常容易。"

"你看了他的照片?"

"他风度翩翩,我鼻子扁扁。他肌肉发达,我肚子很大。他

是哈佛大学的 Ph. D. , 我 32 岁还在美加补习。他是跨国企业的总经理, 我的工作内容包括倒垃圾和拖地。他周末带她去巴黎, 我只有钱陪她回中坜。她生日他送 Tiffany, 我买得起的只有 Hello Kitty。"

"原来她投篮不中, 你是篮板球, 兴高采烈地弹来弹去, 其实只是在陪她度过过渡时期。等她带过半场, 养足元气, 下次再出手就会命中红心。到时候她会换电话, 让你觉得试图找她是自讨没趣。她会寄挂号信, 退回所有你送她的东西。她会白天打电话到你家里的答录机, 留言说因为爱你所以要离开你。"

"但她曾说她真的爱我。"我自我安慰。

"好吧, 那她也许真的爱你, 别忘了, 爱是没有道理的东西。"

"不可能,"我立刻否定自己,"外在条件我和那男的相差十万八千里, 内在更是望尘莫及。他追她的时候他在高雄当兵, 她每周日上午要去做礼拜, 他彻夜从高雄开车上台北, 只为了清早能把她从大直送到士林。"

"而你约完会连陪女生从诚品走到 216 巷都不愿意。"

"他当完兵后回台北, 当时有许多人在追她, 为了和她接近, 他和她的邻居交换公寓。他用自己在安和路的四房两厅, 换来的套房只有 5 坪。有一次她生病, 他去她家清理四处的鼻涕, 她一个喷嚏打在他脸上, 他笑说你的痰里还有克莉丝汀迪奥的'Remember Me'。她吐在他新买的 Armani, 他说好极了这样我上班时还可以闻到你。"

"而你的女友在卧房打喷嚏，你在客厅都忍住不呼吸。"

"他们认识周年庆那天，她住院开刀。他没有送她鲜花或巧克力，而是卷起袖子为她输血 500cc.。她醒来时他亲吻她的额头，说这样我们就可以永远在一起。"

我和张宝相对不语。

"离开她，此时此地。"

我不甘心地说："就因为她有一段过去？每个人都有过去，这并不表示她不能再爱别人！"

"这男的不是过去，而是一个胎记。不管她走到哪里，他都是她的身份证明。不论你怎么爱她，她总是会拿你跟他相比。刷牙的方法、毛衣的颜色、喝汤的声音，你有任何一点和那男的不同，她都会忍不住批评。你们的床将异常拥挤，两个人睡有三个人的体积。你永远无法战胜你的情敌，有血有肉的你怎么比得上一段美好的回忆？"

"我爱她，这难道不是最好的武器？"

"每个人一生都只爱一次，她已经爱过了，对未来的情意都将免疫。"

"我仍得一试才行。"

"Leave。"

我的心中响起两种声音，一方面我希望用真爱来战胜那男子的阴影，另一方面我也明白回忆是不能被取代的东西。曾经刻骨铭心，一个人还可不可能从头来起？曾经找到爱情，那份爱能不能被代替？

你们共度一晚，激动地撕裂床单。积欠了一辈子的情感，连本带利地归还。你看到飘落的花瓣，和一艘淹没的帆船。她看到一颗子弹，将她的身体刺穿……

旧日的挤压

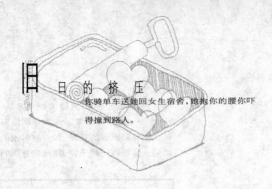

旧日的挤压

上礼拜我发现我是台湾国语的篮板球情人,同时张宝又掉进另一个感情的坑。

"我碰到我'旧日的挤压'。"张宝说。

"你昨晚吃烤鸭?"

"'挤压'是情人的昵称。我碰到老情人,她刚好没有带她先生。我问她最近可好,她哭着说老公有了别的女人。"

我可以了解张宝的心情。她是你的初恋情人,学校第一个正眼看你的女生。有一天你赶搭电梯,她从电梯中伸出手来为你挡门。课堂上老师在解释希腊众神,她做手势要你下课后在福利社等。你坐在阶梯上等到饿得发昏,她走过来便当买了两份。你三分钟吃得一粒不剩,她把自己的排骨和你对分。你骑单车送她回女生宿舍,她抱你的腰你吓得撞到路人。宿舍门口她突然转身,小雨中给了你生命第一个吻。你回家后立刻打电话给她,她站在宿舍公用电话旁和你聊到清晨。毕业后她去威斯康辛 Madison,你一签抽到福建金门。两年中你们每天一信,她结尾总说我一直会等。你退伍她回国当企管顾问,在公司里认识了更好的男人。接你的电话时她总是分秒必争,偶尔见面她永远显得很困。有一次你看到她男友接受电视访问,高大英俊讲话十分诚恳。一年后她说自己即将订婚,我们无缘但祝你有美好前程。她们的婚礼请到名人福证,5分钟内讲了10次才子佳人。那一刻你回到曾和她漫步的椰林大道,突然间痛苦地倒在草地打滚。回家后发现被蚊子咬了一身,第二天发高烧还得了麻疹。

我义愤填膺,便说:"她当初这样对你,现在正是你报复的大好时机。"

"报复?事实上,昨晚我们……"

"你们……"

"旧梦重温。"

"你怎么这么没志气?"张宝推我,"她当年甩掉你,不给任何原因。闪电结婚的酒席,还发帖子要你送礼。现在她回来找你,眼泪随便掉个两滴。你手帕摘下给她,接着裤子就脱倒在地。"

"我们昨晚亲密的基础不是性,而是爱情。"

"爱你个屁!你们15年不见,爱早就过了期限。真要讲爱情,安娜苏才值得你反省。几个礼拜前你还信誓旦旦地要和她到西藏旅行,现在她怎么就变成了你良心不安的标的?她为你RU486吃坏了身体,你报答她的方式是让别的女人把你当马骑?"

"安娜苏20岁,和她亲密像是去月球旅行,床上没有重力,从头到尾难以呼吸。快乐到此境地,我都觉得对大家不起。我旧日的挤压35岁,和她亲密像在家里扫地,你不会急着完成使命,也没有兴趣做得彻底。它是例行公事,你巴不得找人代替。如果只是为性,我当然宁愿跟安娜苏在一起。"

"所以是为了爱……"

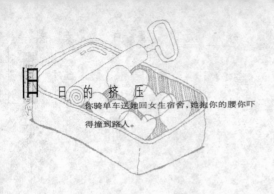

"或是一份共同的记忆。那是一种同属于 50 年代的惺惺
相惜。你打开媒体,整天是两岸关系;你转台,唯一的其他选择
是蔡依林。你突然发现世界正被 30 年代的人统治、70 年代的
人占据。你 35 岁,虽已进入壮年,但还不是社会的中坚。你挂
名助理副总裁,但没有权力拍板定案。你和 70 年代的相亲,讲
了半天找不到共同的话题。他们喜欢的歌你只听得懂半句,去
KTV 只有你听过'三月里的小雨'。昨晚碰到旧日的挤压,我
有他乡遇故知的惊喜。我不必再假装知道近畿小子是谁,她反
而会主动提起'阿美阿美'。"

"我完全了解你的心情,"我安慰他,"了解你的不高不低。
你不愿天真浪漫像刚过 18,又讨厌 50 岁的老奸巨猾。你在寻
找一名 35 岁的已婚女子,她已有成人的沧桑,但身材还不至于
完全走样。做爱已成家常便饭,但没有体会过高潮的意涵。你
们共度一晚,激动地撕裂床单。积欠了一辈子的情感,连本带
利地归还。你看到飘落的花瓣,和一艘淹没的帆船。她看到一
颗子弹,将她的身体刺穿。结束后像扑灭了一场火灾,你们检
视着心的残骸。第二天她继续回去当林太太,你告诉女友昨晚
老板从美国来。下次有人谈起蔡依林,你不会再觉得疏离。因
为 50 年代的还在那里,她和你一样迷过我达达的马蹄。"

"谢谢你了解。"

在张宝感激的神情中,我看到了他和安娜苏的结局。

CSR

我问她爱不爱听许茹芸的"真爱无敌"，她说她比较喜欢亚当·山德勒的"Big Daddy"。我说听你的声音应该不食人间烟火，她说她是八卦女王喜欢吃麻辣火锅……

爱上一个声音的确有危险,但是新大陆通常
都是这样被发现。

CSR

上礼拜张宝碰到旧日的挤压,我为要不要做台湾国语的篮板球情人而挣扎。当我不知如何是好时,我遇到 CSR。

"CSR?"张宝问。

"Customer Service Rep,顾客服务代表。前几天我收到信用卡帐单,同一项帐款被重复计算。我气得打 080 号码,二话不说就对接电话的 CSR 开骂。她不但没生气,还很耐心地跟我解释出错的原因。然后她注意到两笔款项都在诚品,就问我那天买了什么书籍。她的声音像镇静剂,我轻松到竟然毫不克制地放屁。她的解释很合理,我感觉自己在补习班补习。"

"不要告诉我你爱上了她!"

"讲了十分钟后,我开始对她个人产生兴趣。我问她爱不爱听许茹芸的'真爱无敌',她说她比较喜欢亚当·山德勒的'Big Daddy'。我说听你的声音应该不食人间烟火,她说她是八卦女王喜欢吃麻辣火锅。就在那一刻……"

"你爱上了她……"

"因为她 fun,她的快乐彻底解除我的武装。这几个月我认识很多好女人,必要时她们都能笑得十分逼真。但内心里她们以悲哀为职志,好像稍微快乐就活得不够诚实。蛋白质女孩中规中矩,从小压抑七情六欲。台湾国语曾遇到过梦中情人,至今仍出现在她梦醒时分。CSR 开朗、快乐,没有创伤的过去,不想人生的道理。和我聊天不在乎老板监听,给我电话号码不怕我是神经病。"

"她给你她家的电话?"

"所以当晚我又和她聊了两个小时,我发现我爱上了她。"

"她的声音好听吗?"张宝问。

"当然,声音是她工作的主要工具。"

"那你不爱她!"

"我不爱?"

"你爱的是她的声音。这很容易解释,你现在和台湾国语在一起,她一切完美,就是声音不好听。你寻求补偿,于是迷上了CSR。想想看,你连她面都没见过,怎么可能爱上她?"

"你没看过《电子情书》或《西雅图夜未眠》吗?谁说爱情一定要建立在见面的基础上?你整天和女人肌肤相亲,办完事就翻过身去。她一问结婚的日期,你就说明天还要早起。这又是哪门子的爱情?"

"你以为看午夜场《西雅图夜未眠》的情侣牵手回家后做什么?Call-in吗?如果有任何情侣看了那些电影而没有休息,我跟你保证他们不是打电话给光禹,而是在实验牛顿运动定律。"

"你耽于肉欲、毫无灵性。"

"灵性?我昨天经过菜市场,灵性在买一送一。胡因梦够有灵性了吧?她在书中说要把处女膜送给男友当生日礼。"

"你为什么不说林觉民,不说意映卿卿?"

"因为林觉民的时代还没有这么多性病,他写意映卿卿时还没有那么多宾馆可以休息。林觉民的时代有一个腐败的清

爱上一个声音的确有危险，但是新大陆通常都是这样被发现。

廷，年轻人共同的理想是救国救民。2000 年我们唯一共同的是对八卦的兴趣，国家的重要性还不如 WAP 手机。"

"你怎么这么犬儒？"

"你不犬儒，那我问你，你是不是打算永远不和 CSR 见面？"

"我又不是白痴，最后我当然会和她见面，只是我现在珍惜这种心有灵犀的感觉。"

"好，你们心有灵犀，假设见面后你发现她很丑，你还会爱她吗？"

"她告诉我她以前是空中小姐。"

"她——，好，假设她以前不是，你还会爱她吗？"

"这个问题根本不成立，你问有什么意义？"

"你是先知道她是空中小姐还是先觉得和她'心有灵犀'？"

"你这像问我是先长出胡须，还是先觉得自己进入青春期，一个具象一个抽象，我怎么比？"

张宝停止逼问，他逼视我，然后冷笑，"你只是爱她的声音、她的神秘、她的距离、她象征的可能性。你和台湾国语有了问题，CSR 提供给你一个迅速的逃避。你爱 CSR，因为和她相处比较容易。每天打几通电话，想发现彼此的丑陋还来不及。你们的爱只能停留在电话上，一旦见面，她会知道你的笑话都很低级，你会发现她月经来时不讲理。"

"闭嘴！"我大叫，"为什么你觉得凡事总会幻灭？为什么你觉得我们不能容忍彼此的缺点？对爱我至少愿意放手一试，你

只会永远沉溺于你的神经质。"

　　我们终于讲到了重点,张宝低下头,好像在找掉在地上的钱。此时我多么希望 CSR 就在眼前,只为了让张宝了解:爱上一个声音的确有危险,但是新大陆通常都是这样被发现。

"有没有人同事生日时蛋糕不碰嘴唇，一个人到炸鸡店鸡骨头却不停地啃？"

"没有，倒有人公开批评偷金城武海报的小女生笨，自己在家却看了 50 遍的《不夜城》……"

迈阿密的寒冷

迈阿密的寒冷

上礼拜我遇见 CSR,张宝还在想旧日的挤压。礼拜四张宝生日,下班后我去办公室找他。

"今天早上有人送我花!"他指着花,我拿起上面的卡,卡上署名:"一直暗恋你的同事:迈阿密的寒冷。"

"'迈阿密的寒冷'?"我问。

"我也不知道是什么东西,不过她竟然是我同事!"

我转头把张宝的同事看了一圈,没有人害羞地遮住脸。我虽和这名女子从未谋面,但可以了解她是如何辛苦地经营这份孽缘。你在一家保守的银行做事,穿制服赶打卡每天忙得晚饭都不能吃。你对自己的工作不喜欢也不讨厌,准时上班只是为了那笔固定的钱。早上赶时间你只能在电脑前吃三明治,午觉趴着睡每次起来额头一块红印却不自知。就当你开始注意周日报纸的招聘启事,你的部门从美国调回一名上司。他台湾土生土长却是美国的企管硕士,讲话喜欢夹杂英文鼓励部属叫他Alex。他总是忙进忙出没空注意你,你补妆时用镜子偷偷瞄他的鹰勾鼻。走廊上他大方和你问好,表情诚恳好像他真的在意。你想吃掉他却害羞地把头压低,大好机会你只说得出"听说台风又要来袭"。会议上他故意点名问你的意见,你六神无主夺门跑到洗手间。结算日前一天你们加班到十一点,最后一起离开你等他设保全。他把灯全部关掉你在黑暗中想摸他的脸,他却扫兴地问你临走前要不要小便。电梯中站在一起你的

头只到他的肩，却可以感觉他正专注地看你的脸。突然间他说
要不要我送你回去，你感激菩萨显灵嘴巴却说不好意思麻烦
你。他再问要不要一起去吃消夜，你正要转头抱他却突然感到
贫血。他说你是不是身体不舒服，你想若能死在他怀里也义无
反顾。他看你不回答便直问你为何对他有成见，你怎么解释爱
他入骨冷漠只是你的表演。他开玩笑说你是不是从小就这么
冰冷，你想告诉他其实你内心像迈阿密一样热忱。他泄气地站
到电梯另一边，再按一次一楼的钮好像要电梯快一点。你想说
请多给我一点时间，渴望此时全国能够停电。他拿出手机检查
有没有留言，你内心盘算若被他拒绝会不会很丢脸。你终于鼓
起勇气要表达爱意，此时电梯灯也亮到了 1。电梯门迅速打
开，外面站着一名绝色美女。他大声叫嗨 Julie，美女摘下墨镜
笑容像梁咏琪。他们在大厅中央抱在一起，你从安全门逃走躲
在地下停车场哭泣。第二天你送他一盆花，署名迈阿密的寒
冷。他看完卡片关起办公室的门，一分钟后你收到他的 E-mail
说谢谢你对我一往情深。

"你是说送我花的是一名外冷内热的女生？"

"没错，"我说，"你的同事中谁是这样的人？"

"我们金融机构的员工讲究精准，通常内心没有这么多矛
盾。"

"有没有一路第一志愿上来的女生，上一次和男人约会是
去看'乱世佳人'？"

"没有，倒有人当场叫来求婚的男士快滚，半年后却又抱怨

他娶了另一个女人。"

"有没有人同事生日时蛋糕不碰嘴唇,一个人到炸鸡店鸡骨头却不停地啃?"

"没有,倒有人公开批评偷金城武海报的小女生笨,自己在家却看了50遍的《不夜城》。"

"有没有人整天高喊两性平等,烛光晚餐的帐单来时却总是尿遁?"

"没有,倒有人上车总要等男人替她开门,亲热时却必须主控每一个吻。"

"有没有人在老板面前分秒必争,老板出国她就摸鱼打混?"

"没有,倒有人白天表现出小女孩的稚嫩,到了晚上竟变成包法利夫人。"

我宣告:"这些表里不一的人都可能是迈阿密的寒冷!"

张宝决定花几天观察几名可疑人选。晚上回家睡不着觉,我在网路搜寻引擎上打下"迈阿密的寒冷"……

"我找到了!"第二天下班我去找张宝,"'迈阿密的寒冷'是美国 Maybelline 公司在 1997 年春季推出的一系列化妆品,颜色都是大胆的绿、黄、粉红,你们公司有没有人涂绿色的眼影,黄色的口红?"

"我们是金融机构,不是万花楼。"

"用力想想,有没有人打扮得很辣妹?"

"我们公司最辣妹的是接待小姐,但就连她都不敢穿露脚

趾的鞋。"

"这就怪了……让我打电话给 CSR，问她台北哪里可以买到迈阿密的寒冷。"

"用我秘书的电话，先拨 9。"

我坐在张宝秘书的座位，桌上干净，连一支可以记电话的笔都没有，我不经意地拉开抽屉……

里面是一盒"迈阿密的寒冷"粉底。

你和她回到家，急得连皮鞋都没有脱下。客厅中她激动地叫你爸爸，你只怕弄脏她的真皮沙发。第二天早上你先醒来，匆忙逃跑时忘了皮带。星期天她打电话约你出来，你叫弟弟骗她说自己不在……

办公室恋情

办公室恋情

上礼拜张宝发现他的秘书在暗恋他,第二天他的秘书请病假。

"三年来她从来没有请过假,我已习惯了事事靠她,"下班后张宝向我诉苦,"今天她突然没来,我连电脑都不知道怎么开。没有她帮我过滤电话,一堆推销员打来要我办信用卡。她像一个妈妈,你把她视为理所当然。她对你的好都很微小,于是你从来不知道。她关心你有没有吃饱,你说拜托你不要唠叨。陈阿姨的女儿她要帮你介绍,你说请不要逼婚好不好。有一天她不在了,你才知道她多么重要。她曾对你那么的好,你自私地一点都看不到。"

我当然知道他讲的不是张妈妈。

"我爱的其实是她!"张宝昭告,大手一挥推倒电脑,"我在外面那个人肉市场跌跌撞撞,没想到真爱就近在身旁。和别的女人看午夜场,我只会算计看完后如何骗她们上床。演到一半故意把手放错地方,看她们会不会给我一巴掌。和秘书在一起我不必这么忙,她让我一点都不紧张。甚至只是坐着谈新成立的三家固网,我都可以觉得通体舒畅。她的感情不需论斤计两,爱的价值在上床前后都一样。"

"听起来很棒,但你不能爱她!"

"为什么?"

"办公室恋情通常都以悲剧收场!"

　　我想起自己沉痛的经验。起初只是纯洁的午饭,办公室旁各付各的自助餐。你假装和她一样喜欢许茹芸,讲到 NBA 她勉强睁大眼睛。喝完汤你们确定不来电,走回办公室两人隔了五步远。回到大楼你们几乎不认识,走进电梯她礼貌地请你帮她按 10。星期五你被老板 K 一顿,加班加到大楼关灯。停车场里你的车怎么发也发不动,修车厂的电话怎么打也打不通。突然间她来敲你的车窗,问你要不要帮忙。也许是停车场的灯不够亮,她看起来竟然像萧蔷。你坐上她的车,立刻失去一切原则。你和她回到家,急得连皮鞋都没有脱下。客厅中她激动地叫你爸爸,你只怕弄脏她的真皮沙发。第二天早上你先醒来,匆忙逃跑时忘了皮带。星期天她打电话约你出来,你叫弟弟骗她说自己不在。星期一你还是不敢面对,打电话请假说自己扭到脊椎。你到泰国去躲了一个礼拜,为什么会解她扣子始终想不起来。回公司后你打算辞职,走廊上擦肩而过两人假装不认识。你打电话跟她道歉,她说她正忙着吃早点。你 E-mail 给她说对不起,她 forward 全公司你的 message。老板问你是不是对她性骚扰,你狡辩说没碰过她一根汗毛。对质时她拿出你留在她家的皮带,你倒头大哭无助得像个小孩。老板念你初犯没有开除你,但你的责任已降为打字和送东西。每天早晨你低头走进公司,同事交头接耳说这就是那个始乱终弃的登徒子!

　　"你活该!"张宝说,"你无情无义,发生关系时叫爱你爱你,需要负责时说不急不急。我不像你,我和迈阿密将成为革命情

办公室恋情

和秘书只是坐着谈新成立的三家固网,我都

可以觉得通体舒畅。

侣,每天在办公室内同居。我们有共同的生活目标,都是要把公司的逾放比率减少。我们有无数的话题可谈,名正言顺报公帐吃烛光晚餐。"

"革命情侣的代价是回家后还要谈公事,一天工作 24 小时。接吻正到高潮,她突然说你要不要检查一下明天的报告。决策时不对事对人,对方有错也不忍心指正。有一天真的为了公事骂开,顺便吵到为什么好久没有做爱。这就是为什么在大公司,夫妻不能在同一部门!"

张宝把办公桌上的文件推到地上,发狂大叫:"为什么社会上有这么多规矩? 爱情有这么多禁区? 不能爱你的同事,不能爱你的老师,不能爱表妹,不能爱 David。不能爱如果她比你大,不能爱如果她比你傻。不能爱如果她家世比你好,不能爱如果她长得比你高。不能爱如果她薪水比你多,不能爱如果她没有处女膜。不能爱如果她是你朋友的太太,不能爱如果她曾经堕过胎!"

"没有这些规矩,中产阶级的社会如何建立?"

"F——中产阶级!"

"F——中产阶级? 中产阶级是我们这种四肢简单头脑发达的人的唯一出路。你我若活在亚马孙丛林,不到两天就会被拿去喂老鼠。"

"但我爱她……"

他说得那么绝望,好像躺在临死的病床。我拍拍他,不知该怎么讲。

日本浓汤

　　你写信给她，邀她出来聊聊。她说我记得你，礼拜六万年冰宫好不好。你穿着新订做的制服，反复摺你的大盘帽。她没有来，失望锐利得像手术刀……

日本浓汤

上礼拜张宝尝试办公室恋情，我决定和 CSR 见面。

"别做傻事，"张宝劝我，"没了神秘感，她只是另一个女孩。"

"我要向你证明我爱上的不是神秘感，而是她的乐观。我厌倦了层层迷雾的女孩。你向她示爱她装蒜，你放弃后她开始缠。热恋时说你是我的老伴，分手时说我以为我们只是玩玩。CSR 直截了当、不要手腕，爱她比较简单，你不必去诠释她每句话的意涵。"

"那台湾国语怎么办？"

是的，台湾国语，我的旧爱。我没有答案，也不知道何时约她吃决裂晚餐。像所有幼稚的男人一样，一段感情不知如何收场，就去找另一段来补偿。

我约 CSR 晚上 7 点在意大利餐厅。我准时到，一名女侍站在我们预订的桌前排列餐具。她背对我，我大剌剌坐下，命令说："给我一杯柳橙汁。"

"柳橙汁？ 你点的和我一样！"

一听那声音，我惊讶地抬头。

她转过头："嗨！ 你来了……"

是 CSR。

"你还好吗？"她问，"你怎么脸色苍白？"

"我……"

你，你多久没有一见钟情、哑口无言的经验？上一次是在高二那年，中山女中校庆那天。你倒着走路，背撞到她。你转头开骂，她蹲下去捡讲义夹。她抬起头来对你微笑，笑意延伸到发梢。你眼中亮起光线，第一次感到自己活在这世间。你们擦身而过，她和她的同学回头瞄你一眼。你张大嘴巴，想叫住她却说不出话。她们转入街角，你看到她书包边缘的毛在飘。你站在原地，全身麻痹竟在裤子里尿尿。你记住她的学号，托朋友打听名字。朋友说她姓高，拍过洗面皂广告。你写信给她，邀她出来聊聊。她说我记得你，礼拜六万年冰宫好不好。你穿着新订做的制服，反复摺你的大盘帽。她没有来，失望锐利得像手术刀。

后来你长大，几次失败的恋情让你变得心狠手辣。花开时该拔就拔，伦理和道德常常请假。拿到 MBA，谈恋爱也开始用行销手法。广告夸大，所用的话语都很假。认识当晚你一定送她们回家，三天后打第一次电话。两个礼拜后你开始送花，附上的卡片署名 Your Love。她打电话问你在干吗，你说当然是想你啦。挑逗的话你说得自然，靠近她时不会让她害怕。她所有的暗示你立刻都懂，永远知道何时采取下一步行动。

你是爱情游戏的职业玩家，直到今晚碰到 CSR。

她在我对面坐下，我激动地说不出话。突然间我回到高二时光，女孩一笑我就全身发麻。

CSR 说："他们餐具的摆设不对，我忍不住起来纠正。"

"餐……"我拿起叉子，一把挥倒桌上的冰水。冰块掉在我的裤裆,我还一动不动地看着她的脸庞。她走过来为我擦拭,我跳起来撞翻椅子。

"我有这么丑吗?"

"不!"我大叫,餐厅里其他顾客转过头看我。

"你是不是缺氧?"她过来拉开我的领带,"我以前在华航学过急救。"

我立刻躲开,撞倒邻桌的小孩。小孩开始哭闹,我递给他我们桌上的面包。

"你到底怎么搞的?"她张大眼,假装害怕,"惨了,你该不会是那种白天上班、晚上专门杀害空姐的色狼?"

"我……"

"唉,"她坐下,"来都来了,也得吃饱了再遇害。"

我竟傻傻地点头。

我们坐下,她大叫,"七点十分,我饿死了,以后不要约这么晚好不好?"

侍者递上菜单,我仍在打颤。

"我要一客牛排,"牛排? 她是台北唯一没在减肥的美女,"三分熟,"她拿起红酒说,"我喜欢血淋淋的感觉。"

她用力抖开餐巾,我这才清醒。

"先生,你呢?"侍者问我。

"先生!"

"我……"我看了 CSR 一眼,挤出沙哑的声音,"小姐,你——你——你们菜——菜——菜单上这个'日本浓汤'是——

是——是不是就是味噌汤?"

"先生,我们是意大利餐厅,那是'本日浓汤',不是'日本浓汤'。"

CSR 和侍者同时笑了出来,刚才被我吓哭的小孩笑得喷奶。

我的 cool 呢? 我整套晚餐约会的战略呢? 我提早到场、观察女厕方向的仔细呢? 我事先给领班小费,要他假装我是重要顾客的心机呢? 我在她进来时赞美她鞋子的小聪明呢? 我看着侍者名牌,叫她 Jenny、不按菜单点菜的优雅呢? 我说"我要红酒、我的'太太'要白酒"的把戏呢? 我在桌下"不小心"碰到她腿的挑逗呢? 我在她起身上厕所时为她拉椅子的敏捷呢? 我在付帐时拿出金卡的慢动作呢? 我在离开时为她穿上大衣、然后轻搂着她腰走出去的自信呢? 我百发百中、完全比赛的纪录呢?

什么力量,让爱情玩家在意大利餐厅点日本浓汤?

她出现时你要维持笑脸,高兴或后悔都要非常收敛。她若漂亮你可以叫一瓶 Chardonnay,她若不美你甜点就不用点。若想再见面你应该送她回家,不想再联络你就在她面前剔牙……

love.com

love．com

上礼拜我和 CSR 见面，张宝失踪了 5 天。

"我去和网路上认识的女子见面。"张宝说。

"网路上认识的女子?"

"现在有许多配对网站，你很容易就能认识门当户对的女孩。"

"那是小朋友的游戏，我们 30 多岁，怎么可能去网站上求爱?"

"你的观念怎么这么古板? 配对网站里有很多和我们同龄的单身男女，他们原本也像你一样不切实际，坚持两人必须自然地认识。眼高手低一下子三十好几，这才看清现实标准慢慢降低。交友的方式开始变得很有弹性，不再排斥相亲或非常男女。在网路求偶极有效率，你可以迅速过滤身高体重和年龄。我通常只找硕士以上的女性，身高 163 到 167。27 到 30 岁至少要有 33D，若 32 岁以上则必须有大笔积蓄。她最好是金融机构的经理，不过专员以上我都可以委屈。处女座我尽量躲避，AB 型我理都不理。"

"天啊，网路完全暴露了你的肤浅和势利!"

"我当然不是在追求柏拉图式的爱情。我有一个朋友毕生在追求心灵伴侣，现在 57 岁陪他的只有天心的写真集。"

"你在网路上恋爱又能刺激到哪去?"

"这你就不懂了，让我告诉你怎么布局。认识的前两天当

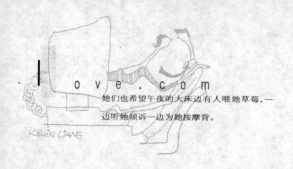

然只是 E-mail 来 E-mail 去，扯些'你是我第一个在网路上认识
的异性'的狗屁。遣词用字像绅士和处女，大量使用请谢谢对
不起。真名千万不要随便说出去，最好取个洋名或叫什么'黑
色茉莉'。第三天开始交换电话号码，预防对方是变态所以开
始只给手机。聊过一次若觉得有趣，当晚就直接打到家里。第
四天就可以见面，通常约在大饭店的 lobby。她出现时你要维
持笑脸，高兴或后悔都要非常收敛。她若漂亮你可以叫一瓶
Chardonnay，她若不美你甜点就不用点。若想再见面你应该送
她回家，不想再联络你就在她面前剔牙。她对你有兴趣当晚会
再 E-mail 给你，你对她有兴趣要想办法说服她到宾馆休息。"

"这是什么配对？这像日本烧肉串上鸡肉和青椒随机地串
在一起，里面哪有任何感情？"

"日本烧肉串为什么这么受欢迎，就因为它快又便宜。现
在事事讲究效率，没有人有时间去做 sashimi。"

"你这种讲法太偏激，我认识很多女孩子仍向往天长地久
有时尽此恨绵绵无绝期。"

"老弟你醒一醒，我们已经 37 世界快到 21 世纪，你还以为
现实的爱是像许茹芸的歌曲？"

"漂亮就上床，不漂亮就各自付帐，我宁可不要活在这种现
实里。"

"这你倒不用担心。在网路上认识的女人通常不会太美或
太丑。太美的人不需要藉网路认识朋友，太丑的人无法承受最
后要见面的压力。"

"我想精明能干的大概也不会相信这种盲目的配对。"

"这你就错了。你知道有多少年轻、漂亮、精明、能干的企管顾问或投资银行家的感情是一片空白吗？她们整天坐在公司电脑前，不时低头看自己的高跟鞋尖。别人在@live里面心算自己的安全期，她们在 Excel 里面计算案子的投资回报率。她们也希望7点有人打电话来问她们吃饭了没，10点有人开车接她去 pub 喝一杯。午夜的大床边有人喂她草莓，一边听她倾诉一边为她按摩背。"

"但她们忙到没时间用传统的方法认识异性。"

"所以她们上网，希望能找到对抗寂寞的力量。我昨天和第二名网友见面，她经手的案子都是几千万美元。刚好她长得又美如天仙，所以我和她玩到半夜三点。我还有另外两名网友即将见面，成就非凡却都寂寞得可怜。没有网路，她们最后可能都会进疯人院！"

张宝回去上网，我独自站在空荡的街上。耳中出现 modem 接通的声响，眼睛看到一个个重叠的视窗。我在想：是不是所有的事物都可以上网，所有的爱都可以被. com？

她们偶尔也用可怜可怜，梦中常
出现那名建中男孩的身影。她们也渴
望男人送她 Hello Kitty，情书上有一
行行的爱你不渝。夜里有一个肩膀可
以哭泣，委屈时有人为她打抱不平。
星期天有人陪她们逛街 shopping，
鼓励她尝试黑色的内衣。

女强人

女强人

上礼拜张宝在网路上认识一名女强人，他们第一次约会我在一旁陪衬。

"你今天应该送花给她！"第二天张宝对我说。

"我？她是你的朋友，我送什么花？"

"我是要把她介绍给你，你难道没有兴趣？"

"我当然有兴趣。她是长春藤的 MBA，华尔街工作了 5 年。回国后进入投资公司，办公室有自己的浴室。一早起来到健身房游蛙式，接着连续工作 18 个小时。从头到脚是意大利服饰，必要时不怕穿短的裙子。激励员工时懂得甜言蜜语，发起脾气骂你是猪狗牛驴。领导一群金融精兵，打字的秘书都比你我聪明。公司的录取率是五百比一，进去后每个人对她死心塌地。她预算高得毫无人性，每一季却总能达到 sales target。她买你的公司价钱出奇得低，和她讨价还价你是自讨没趣。有时谈判会陷入僵局，她宁可让它破裂也不把姿态放低。业界对她的风格多所批评，两个官司缠身她却只谈昨日的 birdie。国外老板给她高薪和司机，她宁愿走路上班脚底一双 Nike。生病时一个人到医院吊点滴，你不会在办公室看到她打喷嚏。压力太大时员工背地骂她老处女，外面藏了一个女友叫 Amy。其实她下班回家立刻看 CNBC 的美股分析，夜里躺在床上不用会震动的电器。"

"天啊，你怎么这么了解她？"张宝惊讶。

女强人

她们渴望被追求，被想念，被患得患失，被丢入许愿池。

"我还了解这样的女人不会要你的花，她让碎纸机读你肠枯思竭写出的卡。"

"为什么？"

"因为她们太聪明，不屑玩我们凡夫俗女的游戏。"

"哈，这你就错了，"张宝说，"那些表面上强悍的女人，背地里可能完全不是那回事。我认识过几名女强人，暗地里其实可以分成两种典型。"

"哪两种？"

"第一种是少女情怀总是诗。"

"第二种呢？"

"援助交际 24 小时。"

"援什么？"

"第二种你惹不起，所以不讲也罢。第一种非常简单，你只要送花。"

"送花？她们会把你当笑话！"

"别傻了。专业成就越高，鲜花和巧克力越有效。她们外表强悍聪明，内心其实像乡下少女。可惜从来没有人把她们当lady，大家都以为她们是毫无情感的赚钱机器。其实她们偶尔也用可伶可俐，梦中常出现那名建中男孩的身影。她们也渴望男人送她 Hello Kitty，情书上有一行行的爱你不渝。夜里有一个肩膀可以哭泣，委屈时有人为她打抱不平。星期天有人陪她们逛街 shopping，鼓励她尝试黑色的内衣。圣诞节陪她们去洛杉矶的迪斯尼，云霄飞车上跟她呼天抢地。下来后搂她的腰吃冰淇淋，拨开她额前的乱发轻吻下去。想想看，当你已经是总经理，你唯一还没有的权力是在教堂说'我愿意'。当你有了千万年薪，能让你更快乐的可能只剩下自己的 baby。"

"你这理论倒很有趣，也许我应该约她出去。"

"如果她第一次拒绝你，千万不要泄气。"

我迷惑起来："你刚刚不是才说她们也渴望爱情，那我怎么还会被拒绝？"

"她们渴望的是老式的爱情。她们渴望被追求，被想念，被患得患失，被丢入许愿池。她们在等待一个骑士，热情洋溢但绝不冒失，面对压力也不骂狗屎。她们在等待一个天使，纯洁浪漫但不会懵懂无知，轻松愉快但不至于无所事事。电机博士但精通历史，看爱情片手帕会湿。约会等她不怕烈日，不论多忙一定准时。接她上班像社区巴士，住在新竹但每天送她回大直。"

"有这种男人，我宁愿变成同志。"

"不过昨天我们认识的女强人过了 40，所以她已降低了标准。现在只要你品行端正，抽烟时不对她喷。拿茶杯手还很稳，秃头不要勉强旁分，她就可以接受。"

"那我得赶快行动，符合这条件的大概有几千人。"

我拨电话给女强人，突然间我变成小学生，被指派到办公室抱记事本。一种虚荣、一次出征。对方电话响起，我开始极度兴奋。

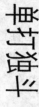

单打独斗

这是高中时期的自强活动，激烈的程度不下于中横纵走。同学升旗时若睡眼惺忪，大概是昨晚一炮而红。班长说你必须有开垦的精神，勇往直前就像林冲夜奔。不必理会电话铃声，只要小心中途有人开门……

单打独斗

上礼拜张宝为我介绍女强人,我因为自卑而不敢和她认真。

"你 9 点就送她回家?"张宝吃惊地问。

"她送我。"

"那你们显然没有……"

我沮丧地摇头。

"你最近几次都没搞头,如果我没记错,"张宝露出关爱的眼神,"你已经很久没有……"

"那又如何?"

"你一个人,是否能保持领土的完整?"

"'领土的完整'?"

"就是说你每晚上床后立刻睡觉,没有晚自习的活动。"

我皱起眉头,很难想像 30 几岁的人还在床上用功。这是高中时期的自强活动,激烈的程度不下于中横纵走。同学升旗时若睡眼惺忪,大概是昨晚一炮而红。下课时同学会低声讨论,互相为对方的表现评分。班长说你必须有开垦的精神,勇往直前就像林冲夜奔。不必理会电话铃声,只要小心中途有人开门。有人说感觉像开水在滚,有人坚持要完全沸腾。班长说关键是勇敢坚忍,切记大丈夫能屈能伸。你以为他们谈的是野地求生,心想自己永远用不到这种技能。只是不解他们为什么都脸色红润,打起篮球突然都变得很准。有一天你在公交车上遇到一名北一女新生,刹那间你认定她是你初恋情人。你想和

单打独斗

爱的目的应该是两个人能量的交流,一个人
做感觉像在清水管不通。

她去淡水共度黄昏,夕阳下献出你的初吻。你只追求心灵的纯真,性爱遥远如非洲一个小镇。可惜她对你没有感觉,回信写得十分简略。"我去淡水已经有了人陪,他是建中的乐队指挥。"洗完澡后你坐在床边,拿着她国中纪念册的照片。你幻想她就躺在你的背面,告诉你信中写的都是谎言。你慢慢闭上双眼,她的脸缓缓浮现。她让你进入她的私人花园,你快乐地在里面玩了一天……

"好了,"张宝打断我,"我不需要知道细节。"

"那是我唯一国土沦陷的经验。"

"你是说,之后你就一直保持领土的完整?"

我点头。

"我不相信,你当兵时难道不感到孤寂?"

"我在花莲当步兵,累得晚点名后就不支倒地。"

"留学时异乡异地,你难道不觉得空虚?"

"我经济念得一败涂地,有空就做微积分习题。当你时时有被当的压力,自然就会忘记身体所需。"

"那进社会呢?你们公司那么多美女,你难道不想和她们有交集?"

"听着,我对单打独斗不感兴趣。爱的目的应该是两个人能量的交流,一个人做感觉像在清水管不通。"

"所以你追求的是一种光合作用,甚至不在乎你在台北她在高雄?"

"太好了,我的哲学你一听就懂!"

"你的哲学像世界大同,立意虽美但不会成功。身体必须适度地运动,就像水库必须调节性的泄洪。当爱飘渺得像一阵风,你只有人尽其才物尽其用。"

"我很好奇,你认识一堆美女,为什么还会整天想这些东西?"

"这跟有没有伴侣没有关系,因为不管你的另一半多么仔细,到最后只有你最了解自己。"

回到家里,我为张宝的理论感到心神不宁。躺在床上,竟对 CSR 起了不洁之心。

此时张宝又打电话来挑衅:"怎么样,感受到我讲的压力了吧?"

"我可以抗拒,凭藉我的意志力!"

"你的意志力早就死在你上礼拜买的那套 Armani。"

"那就凭我对健康的珍惜,我不能糟蹋自己的身体!"

"医学早已证明,这对健康有许多利益。"

我从床上跳起,开始练起哑铃。刹那间我兴起保家卫国的决心,大好江山不能被自己蹂躏。

"你何苦这样折磨自己,CSR 如此聪明,等她答应可能要到下个世纪。此刻只要你闭上眼睛,立刻就能和她结为连理。"

我放下哑铃,耳边传来邻居看连续剧的声音。CSR 这礼拜回中坜,我的人生如此孤寂。朋友们都在狂欢纵欲,我干吗还玉洁冰清。但同时我想到当年那个北一女,自己为她写的纯情诗句。曾经我相信爱情,不立文字以心传心。思念让我从梦中

103

爱的目的应该是两个人能量的交流,一个人

做感觉像在清水管不通。

惊醒,她的信我反复读到天明。我在重庆南路收集她的脚印,在七夕夜空寻找牛郎和织女星……

第二天,张宝问我:"你还保持着领土的完整吗?"

我微笑。

女朋友，多么美丽的字眼，像汤圆或面线，没有明确的起头和终点。像台积电或宇多田，充满想像空间。像新店，你明知她存在却不想跑那么远。像赚钱，太多或太少都让你陷入疯狂边缘……

g.f.

g．f．

你的旧内裤她拿来当抹布擦，她的内衣被你
撕裂一打。

g．f．

上礼拜我保持领土的完整，副作用是好几天都闷不吭声。

"你这样下去不是办法，你那个 g．f．到底什么时候回家？"张宝问。

"'g．f．'？"

"girlfriend，她不是叫 CSR？"

"她怎么算是我的女朋友？"

"她还不算，那你怎么定义女朋友？"

啊，女朋友，多么美丽的字眼，像汤圆或面线，没有明确的起头和终点。像台积电或宇多田，充满想像空间。像新店，你明知她存在却不想跑那么远。像赚钱，太多或太少都让你陷入疯狂边缘。

"听起来你有痛苦的经验？"张宝问。

"高中时第一次发生，补习班的梦中情人。老师在黑板上讲微积分，你在想她写字的手会不会冷。下课后你站在一楼等，她出来时说请你不要挡住门。你锲而不舍地在后面跟，宁波西街一路走到小南门。最后你终于鼓起勇气问，同学你的笔记借不借人。笔记第二天还给她，里面夹了一张情人卡：'我们学校电影欣赏会要演《乱世佳人》，想不想来回味一下南北战争？'她说南海路上电线杆的第 5 根，5 点 40 你可不要让我等。你和她一起走进校门，迎面竟走来训导主任。他说你头发长得可以旁分，再不理就一个大过处分。他怎么知

106

道你是为了今天而留,想在她面前当性格小生。进场时你握她的手,紧得像和了水的面粉。她甩开你一脸气愤,表情严肃得像甘地夫人。你说我以为你是我的女朋友,她说你怎么想得这么天真?"

"所以你曾经自作多情,急得像猩猩。"

于是你变得冷酷无情,保护功夫做得十分彻底。女生问你星座和姓名,你斜眼看她好像她要偷东西。一晚同事在电梯里掉了隐形眼镜,你跪在地上帮她四处找寻。最后发现是夹在衣领,你还给她时说你有美丽的眼睛。第二天你们同时到员工餐厅,都是一个人所以自然地坐在一起。你替她拿刀叉和纸巾,吃完后她帮你把餐盘倒干净。接着你们看了几次电影,你替她排队买 Hello Kitty。送她回家她问你要不要上去,你说好啊我想看你新买的 DVD。她看了几分钟便睡在你的怀里,你怕她着凉起身去关冷气。不小心看到冷气下的电话机,你的号码被设定到快速拨号键里。几天后你们到华纳威秀,碰到她同事她介绍你是她男友。回来后你说我们才认识多久,我不要 g. f. 只要自由。

"原来你曾经被女人吓到,不敢再轻易对别人好。"

"所以我不知道 CSR 是不是我的女朋友,我甚至不知道什么叫女朋友!"

"让我来帮你,"张宝说,"我问你二十个问题,每回答一个'是',你就得到一分,最后看你总共得几分:

1. 你和她走在路上会牵手,接吻时会碰到舌头。

g.f.
你的旧内裤她拿来当抹布擦,她的内衣被你撕裂一打。

2. 碰到狗她躲在你身后,碰到旧情人她紧握你的手。

3. 她觉得你长得像金城武,你觉得她长得像林青霞。

4. 打电话时不说'喂'而说'是我你在干吗'。

5. 逛街时买珍珠奶茶,一根吸管就可以打发。

6. 没事送她花,吃晚饭她点菜你刷卡。

7. 一天10次电话,谈话内容一次比一次杂。

8. 同事们都说你的智力变差,听你和她讲电话都觉得肉麻。

9. 你妈妈不喜欢她,她爸爸追着你打。

10. 碰她的部位逐渐往下,慢慢地她不再挣扎。

11. 和她约会你会穿成对的袜,她来你家前你会先把浴缸刷一刷。

12. 你家有她的牙刷,马桶上有一盒棉花棒。

13. 你知道她的安全期,她知道你提款卡的密码。

14. 小完便马桶盖会放下,香港脚的药你终于开始认真地擦。

15. 你的旧内裤她拿来当抹布擦,她的内衣被你撕裂一打。

16. 尽管她穿得密不通风,你身体的某些部位仍会自然变大。

17. 为了你她的高潮都在作假,为了她你愿意看英格丽·褒曼的'Casablanca'。

18. 星期六下午她帮你理发,半夜背痒你帮她抓。

19. 星期天下午她为你做海鲜 pasta,吃完后你喂她 Haagen-Dazs。

20. 你们会为琐事大吵一架,气头上曾考虑过谋杀。"

"天啊,"我大叫,"我得了18分!"

　　"惨了，"张宝宣布，"10 分以上，她就达到 g. f. 的标准。18 分，她可以当你的英伦情人！"

　　我心头一震，开始找逃生门。

我喜欢看她们穿着紧绷的短裙,蹲下来捡笔。喝红酒在杯缘留下唇印,吃牛排嘴角沾到血滴。本来要去诚品结果走到远企,刷卡时才觉得人生有意义。每天要别人信上帝,逛街时却随手偷小东西……

转开

转开

上礼拜我发现自己有了 g. f. ,张宝却很久没有脱女人的衣服。

"不知为什么,"张宝抱怨,"我突然对女人失去兴趣。街上那么多美女,没有一个有转开我的能力。"

"'转开'?"

"Turn-on。就是能令人冲动的特征。以前我喜欢长腿、丰胸和厚唇,但不知为什么,这些东西突然不再令我兴奋。"

"也许你成熟了。"

"不可能。我想是因为我已经到了'见山是山、见水是水'的境界。经济学中有一种'边际报酬递减法则',当我摸到第一双美腿后,以后的腿带给我的快乐就开始打折扣。"

"这就是你的悲哀。你沉迷于肉体之爱,每次只在乎它有没有来。你的心永远不在,对方只像是一只轮胎。难怪你会冷感,因为女人对你来说只是——"

"谁说我冷感? 我只是需要一些新的转开!"

"像威而钢?"

"像上班女郎!"

他带我去民生东路的 Starbucks,隔着落地窗看街上的上班女郎。

张宝说:"套装是转开,衬衫第一个扣子不能扣起来,那样就隐隐可以看到肩带,最好右边的还稍稍有点歪。"

转开

大雨的街头，提着鞋赤脚踏过积水。一个人
坐在吧台，一边咳嗽一边喝咖啡。

我感觉自己在打 0204 电话，就找藉口逃开。

"我肚子痛，让我去厕所。"

张宝抓住我的皮带，"高跟鞋是转开，裙子最好又紧又窄。脚趾是转开，前提是肤色必须很白。细长的手指是转开，她学过钢琴必要时手指可以动得很快。戒指是转开，因为你知道和她不会有未来。颈背的毛发是转开，因为那可以看得出她荷尔蒙分泌得很快。嘴巴是转开，因为那是最容易攻陷的性感带。"

"你说得好像这每一个器官都可以拿下来卖。"

"有时候转开是一个动作，而不是一个器官。我喜欢看她们跑完 30 分钟，对着矿泉水的瓶口灌。冲完澡走出来，湿淋淋的短发往后翻。大雨的街头，提着鞋赤脚踏过积水。一个人坐在吧台，一边咳嗽一边喝咖啡。

我喜欢看她们穿着紧绷的短裙，蹲下来捡笔。下班时白丝袜上加双白袜，然后换上 Nike。打开冰箱，挣扎着要不要吃巧克力。换上男人的睡衣，因为方向相反而扣不整齐。我喜欢看她们喝红酒在杯缘留下唇印，吃牛排嘴角沾到血滴。本来要去诚品结果走到远企，刷卡时才觉得人生有意义。每天要别人信上帝，逛街时却随手偷小东西。

我喜欢她们在电影院里转过头来嘘你，好像舞台上有手术在进行。走出大楼阴天还戴上墨镜，好像她是电影明星。我喜欢知道她老爸是台积电的大股东，而她是家里的独生女。

我喜欢她们把车上的后照镜移过来补妆，认真的表情好像马上要进新房。每天问你她有没有变胖，三餐后立刻拿秤来量。每天问你还爱不爱她,不论你怎么回答她都觉得你在撒谎。

我喜欢看她们零钱一定要放进小钱包,手机一定用套子套好。每天花一小时洗澡,打个喷嚏就忙着吃药。戴男人的大手表,打你时特别有力道。涂完口红会把嘴唇咬一咬,穿完胸罩不自觉地用手推高。

我喜欢看她们喝可乐一定要加很多冰块,荷包蛋只吃蛋白。还录影带前一定倒带,地震后第一个捐款赈灾。洗澡时门一定锁起来,亲吻时嘴死也不张开。进办公大楼就挂起项链名牌,抬头挺胸好像别人突然变得比她矮。

我喜欢看她们拖你去看鬼片,精彩片段她却躲到洗手间。会议桌下脱掉高跟鞋,会议桌上还能反驳你的论点。

我喜欢看她们看'狮子王'时潸然泪下,张三李四都寄圣诞卡。戴隐形眼镜时要挣扎,拿下时泪水唏哩哗啦。"

"你是说女人这些小动作都能让你兴奋?"

"而且可以持续好几个时辰。"

"天啊,我一直以为你是世界上最肤浅的男人,没想到你的脑袋里还有一点成分。"

"事实上我很有灵性。我喜欢女孩子戴眼镜,能够谈俄国小说或法国电影。你明知道她们不可能跟你乱来,于是更想让她们腐败。当她在谈解构和后现代,你在想如何把她的扣子解开。当她批评美国的文化侵略,你在想能用什么好莱坞电影的挑逗情节。我喜欢看她们最后脱下衣服时那种严肃的神情,好

大雨的街头，提着鞋赤脚踏过积水。一个人
坐在吧台，一边咳嗽一边喝咖啡。

像即将犯下不可饶恕的罪行。她们会用慢动作来进行这场成
人礼，回家后还会写一篇地下室手记。"

　　此时一名女子蹲在张宝身旁捡笔，她戴着名牌、穿着Nike，
手中一本托尔斯泰。张宝从椅子上摔下，像狼一样叫起来。

L 那个字

你想把所有的情意一吐为快,焦急得像在抢救火灾。你想对她彻底表白,期望她给你同等对待。你没有给她空间适应你的存在,没有给她时间计划你们的未来。你的爱像读者文摘,第一段就要说个明白。

L

L 字是藏在底下的烂橘子。如果买方太早得

知,你在讨价还价时就处于劣势。

L 那个字

上礼拜张宝介绍了各种转开,我在 CSR 身上都看得出来。

"我找到了!"我对张宝宣告,"CSR 就是我多年来寻找的女子,我明天将对她说 L 那个字!"

"LOVE?"

我坚定地点头。

"万万不可!"他抓住我的西装,给了我两巴掌,"她对你说过 L 那个字吗?"

"没有。不过她说她喜欢我的纯真,赞美我用自来水时很节省。"

"'喜欢'? 喜欢算什么? 我喜欢我的狗! 喜欢是一个陷阱,引诱你先向她掏心。你要以退为进,千万不能中她的计!"

"为什么?"

"这是恋爱男女的政治,L 字是藏在底下的烂橘子。如果买方太早得知,你在讨价还价时就处于劣势。你们正值美丽的初识,对方给你的感觉像柳橙汁。你庆幸终于有美女能够准时,她欣慰总算有男人不是只想办事。你早上起来为了她刮胡子,她晚上睡前为你写一首诗。你们对对方都有好感,但不确定对方对你爱是不爱。在公司你整天等她打电话来,要送她的东西每天不断地买。你想把所有的情意一吐为快,焦急得像在抢救火灾。你想对她彻底表白,期望她给你同等对待。你没有给她空间适应你的存在,没有给她时间计划你们的未来。你的爱像读者文摘,第一段就要说个明白。你的速度永远快了半拍,逼着别人立刻摊牌。你明知这样会把她吓坏,但你还是积习难改。

于是你给她暗示,送花的数目从1打变成50。然后你给她明示,问她将来想生几个孩子。她没有回应,你感觉像白痴。于是你和她约在浪漫的法国餐厅,先送一个三万多块的点睛品。当侍者送上她点的烤鸡,你突然蹦出一句我爱你。她缓缓打开白色的餐巾,你又补上一句英文翻译。她慢慢剥掉鸡皮,开始评论最近的天气。你低头看她的眼睛,她突然站起来问厕所在哪里。你大声说我陪你去,她说你先吃你的鱼。回来后她若无其事,抱怨厕所没有卫生纸。结帐时她要付一半,说老叫你出不好意思。离开后她说家里临时有事,自己叫车回到大直。你睡前打电话给她,只有答录机跟你讲话。第二天你打到公司,秘书问了你的名字后说有客户在她办公室。你留了话请她回电,然后傻傻地等了一年。"

"她为什么突然改变?"

"她为什么突然改变?"张宝指着我的领子,"因为你暴露了你的弱点。"

"爱她是一种弱点?"

"爱她不是弱点,但说出来就苦海无边。爱情的乐趣在于不知道对方的底线,老是怀疑有第三者夹在中间。有时候她让你拍裸体照片,有时候你约她她说没时间。你怀疑她对你好是不是只因为有礼貌,打电话给你是不是只因为睡不着。如果今

L字是藏在底下的烂橘子。如果买方太早得

知,你在讨价还价时就处于劣势。

天金城武和你让她选,她会不会在 28 秒内对你说抱歉? 如果你告诉她你会爱她一万年,她会不会说这样的话那我再考虑一天?"

张宝抓过我的手,像在教一个小孩不要吸手指,"如果她让你捉摸不定,你也要让她感觉情势未明。"

"这样暧昧的恋爱谈得多累?"

"这样暧昧的恋爱才会永远新鲜。如果双方已经坦诚相见,相处时就不再有想像空间。讲话像在买卖保险,看电影时一直要去洗手间。一旦你觉得在她身旁很安全,就不会再鞭策自己努力表现。"

"做自己不是很好?"

"做自己是爱情的毒药! 我们的真我像阳春面,没有人愿意连续吃好几天。所以我们必须不断表演,让她们觉得面中有足够的盐。"

"既然男女不能坦诚相见,你为什么一认识女人就和她们开房间?"

"你当然可以和她们上床,只是不要说我认识的女人中你最棒。夜里你大可以甜言蜜语,但第二天早晨要迅速撤离。第二天晚上可以约她们吃饭,昨夜的事要绝口不谈。吃完饭各自回家,一周之内不要给她打电话。她会气得中午来公司找你算帐,你就托同事帮你买便当。两周后再躲到她家停车场,拿着花恳求她原谅。你这样不断改变立场,她对你的依赖就越来越强。"

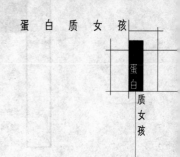

"如果我是她们,我会给你一巴掌。"

"她们都抱着我不放!"张宝得意地说,"听我的,别说 L 那个字!"

为了要挑战他,我拿起电话。他用力抓着我,好像制止我自杀。

"喂?"

"CSR,我……"

还她放在你家的卫生棉，更改保险受益人的表格请她签，收回你们激情录影带的版权，逼她把沾有你的DNA的衣服送到洗衣店……

预防性分手

预防性分手

上礼拜我对 CSR 说出 L 那个字,她立刻放了我好几次鸽子。

"谁叫你不听我的劝告!"张宝幸灾乐祸地说。

"我怎么办?"

"你还有最后一招。"

"什么?"

"预防性分手。"

"'预防性分手'?"

"你有没有听过康柏电脑?"

"这跟康柏电脑有什么关系?"

"康柏本来是属于高价位的产品。为了防止低价电脑侵入它的市场,康柏自己先推出低价电脑,吃下低价市场,这样竞争者就没戏唱。这种先发制人的战略叫'预防性的攻击'。"

"你讲得很好,但这关我啥事?"

"你也可以发动预防性的攻击,在 CSR 开口和你分手前先甩掉她!"

"这岂不是正为她解套?"

"至少在纪录上你的分数比较高。别人会知道,你们分手,是你挑,而不是她不要。"

这套 MBA 的东西的确深奥,我拍手叫好,但立刻感觉不妙。

"等一等,万一她并没有要和我分手,那我岂不是弄巧成拙?毕竟我们没有争吵,没有人吞安眠药。"

预防性分手

分手的地点最好在新公园,万一她昏倒可以送台大医院。不要在餐厅里面,因为刀叉都放在旁边。

"有些分手有戏剧性的高潮:抓奸在床,目睹他屁股上的痔疮。大吵一架,临走时给他一巴掌。割腕自杀,血水流满浴缸。披头散发,戳烂你们睡过的床。彻夜谈判,项链和戒指归还。整夜失眠,烧你们合照的照片。"

我辩驳:"她没有这些举动!"

"那她是属于第二种。恋情慢慢变淡,最后剩下一只空碗。最后一次晚餐,开始各用各的吸管。一桌好菜,半小时就吃完。散步散到一半,你忘了把衣服给她穿。约她下次见面,她说明天再看看。明天打给她,她说正在和客户讲话。下礼拜打给她,她说今天要去洗牙。下个月打给她,她换了电话号码。等在她家楼下,她那晚没有回家。两个月后,她打电话问你有没有年假。你的骄傲作祟,按钮洗掉她的留话。两个月后,你遇到她的好友,想打听她的近况,又怕她传话说你还在关心她。一年之后,你们巧遇在 IKEA。微笑点头,好像对方是交通警察。你说你怎么烫了头发,她说你怎么换了镜架。一起走到柜台,你让她先结帐。你买了一个过滤网,她买了一张双人床。她掏出信用卡,皮夹里一名男子的照片闪闪发光。你突然说有个东西忘了拿,急忙逃开现场。"

我甩头大叫:"长痛不如短痛,让我现在就打电话甩掉她。"

"你们在一起已经超过一百天,早过了电话分手的有效期限。"

"有效期限?"

"恋爱虽然粗暴,但还有基本礼节。如果你已经进过她的

房间,在她家大过便,待的时间超过两点,认识楼下的管理员,那么你分手就必须见面。"

"见面干什么?"

"还她放在你家的卫生棉,更改保险受益人的表格请她签,收回你们激情录影带的版权,逼她把沾有你的 DNA 的衣服送到洗衣店。请她把她送你的东西点一点,提醒她信用卡已经欠了七八千。最后温柔地说此事古难全但愿人长久千里共婵娟。"

"我没有脸见她,我没有正当的分手理由。"

"这不是问题,让我教你一些万用的分手理由:

1. 你长得太美,在你面前我感到自卑。

2. 你长得太高,别人看到我们站在一起会笑。

3. 你家财万贯,别人会说我蓄意高攀。

4. 你对我太好,我怎样努力都无法回报。

5. 我患有隐疾,不忍心传染给你。

6. 我精子数低,将来可能生不出 baby。

7. 我们刚好同姓,小孩可能会有三只眼睛。

8. 我脾气暴躁,你会变成我的出气包。

9. 我毫无情调,A 片看得都会睡着。

10. 你是完美女人,但我爱的是强纳森。"

"你真是天才!"我赞叹,"分手的地点呢?"

"最好在新公园,万一她昏倒可以送台大医院。不要在五星饭店,因为她很容易说服你再开房间。不要在办公大楼前,

预防性分手

分手的地点最好在新公园，万一她昏倒可以
送台大医院。不要在餐厅里面，因为刀叉都
放在旁边。

那样会被同事看见。不要在餐厅里面，因为刀叉都放在旁边。"

张宝的智慧让我充满希望，我厌倦了做被抛弃的一方，这一次痛苦让别人尝。我打给 CSR，正要开口，她先说："我要和你分手！"

"什么？"我大叫。

她说："你对我太好，我怎样努力都无法回报。"

你开着BMW,载着舒淇,和你的旧情人在街头"巧遇"。你打开电动窗,隔着戴墨镜的舒淇,有礼地说:"嗨,好久不见,要不要我送你一程?"

报复

报复

每一次，我带着自责祝她们幸福。每一次，自己躲在公司的厕所里哭。

报复

上礼拜 CSR 在我要甩掉她之前甩掉我，我羞愤地一个人去吃麻辣火锅。

"你还好吧?"张宝在火锅店找到我，不等我回答，先夹起一块甜不辣。

"我早就知道有这么一天!"汗水从我额头流下，"从第一次见面，到彻夜聊天，到伸出舌头乱舔，到立下白头偕老的誓言，到讨论蜜月的地点，到争辩买房子的价钱。整整半年，纵使我们表面上快乐似神仙，我都知道有一天她会发现我的缺点，然后立刻毫无情面，请我给她一点空间。"

"哇……"张宝的肉从嘴边掉下，"原来她是这么精彩的女人，你介不介意我去约她?"

"你说什么?"

"我说士可杀不可辱，你要报复!"

我想起过去许多被辜负的痛苦，每一次我都是低下头来服输。也许是我长得不够酷，也许是我不会穿衣服，也许是我没有读够书，也许是我没有汽车代步。也许是我睡觉会打呼，也许是我一样菜不会煮，也许是我打牌不会和，也许是我不敢下赌注。每一次，我带着自责祝她们幸福。每一次，自己躲在公司的厕所里哭。

"你要报复!"

"我要报复?"我重复张宝的话，像一只感冒的鹦鹉。

"你是说,暗巷里把她强暴、背后上来捅她一刀、早上出门时把她撞倒、在她的咖啡里下毒药?"

"你有这些恶毒的想法很好,不过这样的惩罚没有效。"

"什么惩罚会比被撞死更有效?"

"心理惩罚。"

"心理惩罚?"

"身体的伤害顶多持续几个月,心理的伤害才能到永远。"张宝点起一根烟,不断吞着喉结,"看看我,你以为我生下来就是这样? 不,我也曾经和你一样,相信罗密欧与朱丽叶,每年都在等情人节。纵使她电话从不接,我的情书还是一直写。保护贞节像保护新皮鞋,被拒绝了还跟她说谢谢。失恋后在家听古典音乐,一个人逛曾和她走过的通化街。"他停下来,好像要掉眼泪,"今天的我,就是心理伤害的成果!"

我打个寒颤,"呼——心理惩罚的确厉害!"

"心理惩罚的精义是让她知道没有她你会活得更好。"

"这哪是什么心理惩罚? 这是流行歌曲。没有你我会活得更好,没有我你的胆固醇会高。这是不是阿妹的'原来你什么都不要'?"

"你觉得听起来熟悉,因为这种方法很有效。"

"什么方法?"

"总共十点,你拿笔记下:

1. 去做脸,让自己看起来年轻 5 岁。

2. 去减肥,让自已看起来不像乌龟。

报复

每一次，我带着自责祝她们幸福。每一次，自己躲在公司的厕所里哭。

3. 去健美，练出突出的手臂。

4. 用落健，收复头发的前缘。

5. 去灌肠，彻底消除痔疮。

6. 学英文，取个洋名叫强纳森。

7. 租辆 BMW，天窗常常用。

8. 看报纸要记笔记，搞懂什么叫快闪记忆体。

9. 家里不装答录机，让别人以为你不在乎漏掉他们的 message。

10. 多去参加派对，每次都有不同的女人陪。"

"就这样？"

"最后，也是最狠的杀手：打听她回家的路线，开着 BMW，载着一名模特儿——"

"等一下，我不认识任何模特儿。"

"没关系，我认识舒淇，我替你介绍。"

"你认识舒淇？"

"我朋友的哥哥的老板的表妹认识，不过这不是重点，重点是你开着 BMW，载着舒淇，和你的旧情人在街头'巧遇'。她在等红绿灯，你停在斑马线。你打开电动窗，隔着戴墨镜的舒淇，贴上你如今瘦削的脸庞，甩一下雄狮般的厚发，有礼地说：'嗨，好久不见，要不要我送你一程？'"

我幻想那个场景，自己突然变成电影明星。

"这是报复？"

"这是最好的报复！"张宝张开血盆大口吃肉，"除非她身边

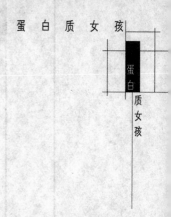

刚好是金城武。"

我想起那个曾经相信罗密欧与朱丽叶的男孩，想起我和 CSR 短暂却圆满的爱，想起她对我的伤害，想起所有像她一样的女孩。我轻声对张宝说：

"你确定舒淇能来？"

脆弱

　　你看起来必须历尽沧桑,好像昨天才国破家亡。指甲很长,手掌的茧摸起来像煤矿。没事眼泪流下脸颊,不准自己或别人擦。点烟时让火柴烧到指甲,走在路上突然蹲下来捡一朵小花。

脆弱

上礼拜张宝教我如何对 CSR 采取报复行动,却因为约不到舒淇而美梦成空。

"没关系,我还认识其他的模特儿。"

"不用找了,"我挥开张宝,"其实我不想报复,其实我还爱着她。"

因为你早上刷牙,会盯着洗手台上她留下的发夹。因为你低头冲澡,会捡起她塞住出水口的头发。因为当你给客户打电话,下意识地就拨她的号码。因为你点牛肉面,会自然叫老板不要加辣。因为你去超级市场,会学她任何东西先看标价。因为你从夹克中摸出旧票根,竟是多年前和她去看的《小鬼当家》。

"你这么爱她,何不回去找她?"

"回去?"我摇摇头,"我被她甩掉,再回去求她,岂不被她看扁了。我如果坚强一点,一副不在乎的模样,说不定她还会回来找我。"

"你怎么会有这种想法?"

"跟你学的。你不是一向鼓吹爱情的权术,常说不懂以退为进就会满盘皆输?"

"以退为进是很好的招术,不过你完全误解了它的用途。此时你越可怜无助,她越可能被你征服。"

"这是什么高见? 你不是一向叫我吹捧自己的优点,约女

脆 弱

你早上刷牙，会盯着洗手台上她留下的发夹。
你低头冲澡，会捡起她塞住出水口的头发。

生前先传给她我的 resume。骗她说我是名校的 MBA，华尔街混过好几年。5 年前就知道买台积电，公司每个人都欠我钱。台大操场可以跑一百圈，回家后还能做饺子馅。做爱一天能好几遍，结束后不会立刻跑洗手间。"

"这种人领导可以选，但恋爱绝对沾不上边。"

"为什么？"

"因为女人喜欢脆弱的男人。"

我皱起眉，完全不懂这个概念，"我们一辈子在追求第一：考最好的学校、进最好的公司、拿最高的薪水、抢最好的位置。什么时候，脆弱反而变成一种优势？"

"因为弱者让女人觉得被需要，让她们觉得自己在主导。你是她的宝宝，除了她没人要。你站起来就会摇，于是永远跑不了。"

"你是说，追女人其实不用力求表现？"

"没错，吃饭时让她付钱，做爱时让她在上面。一旦你抛下男子尊严，她反而会多爱你一点。"

"那要怎样才能成为弱者，是不是以后见到女人都要装得病恹恹，好像得了肺炎？"

"不不不，肉体上你还是得非常强健，但心灵上你必须是废墟一片。女人不愿意当护士，但抢着做心理医师。"

"怎样才能表现心灵的脆弱？"

"首先，你看起来必须历尽沧桑，好像昨天才国破家亡。头发最好垂到肩膀，斜斜盖过半个脸庞。指甲很长，手掌的茧摸起来像煤矿。声音沙哑,一碗饭都吃不光。手机用 T28,打通后常常不讲话。没事眼泪流下脸颊,不准自己或别人擦。点烟时让火柴烧到指甲,走在路上突然蹲下来捡一朵小花。"

"老天,我很难达到这种期望。我头秃得发亮,手掌摸起来都是脂肪。"

"那你必须配带一些特别的饰品,像项链、戒指、耳环,她会问你这从哪来,你就可以开始叙述自己的悲惨……"

"比如说?"

"1. 相恋 10 年的女友跟我拜拜,嫁给认识一个月的小开。但我仍将抚养她和前夫的小孩,因为我相信在心灵上我们永远相爱。"

"好惨!"不要说女人,连我都已经痛不欲生。

"2. 高中的女友车祸丧生,20 年来我无法再爱别人。每天5 点我在北一女门口等,逢人就问你认不认识我的小珍。

3. 我的女友被坏人强暴,她怕我嫌她而主动和我断交。10 年来我每天到她家送报,总是用一封情书盖住报纸的头条。

4. 当兵时一场意外让我不能人道,我的女友开始和同事乱搞。有一天他们带了我的钱卷款潜逃,顺手污了我的香港脚药膏。

5. 年轻时我混过太保,为朋友顶罪坐过牢。朋友趁机抢走我的女友,如今他们已有 3 个宝宝。

6. 为了替父亲偿还赌债,正职外我有三个兼差。一晚累得发生车祸,现在走路都会一拐一拐。"

脆 弱

你早上刷牙，会盯着洗手台上她留下的发夹。
你低头冲澡，会捡起她塞住出水口的头发。

"不要说了！"我声泪俱下。

"这些故事让女人抱住你的肩膀，把你的头放在她的胸膛。这些故事让她们变成妈妈，你变成她们保护的对象。她对你不再严加提防，你很快就能爬到她们床上。"

"儿子爱妈妈，你难道不怕世人口诛笔伐？"

"你难道没有听过俄狄浦斯？这种事又不是从我开始。"

我想起 CSR，考虑要不要认她做妈。我拿起电话，双手开始发麻。

她主动住到你家,就是一种上床的邀请。你以逸待劳,不花费一卒一兵。一般女子你要甜言蜜语,搞了半天她还欲迎还拒。这名女子一上场就丢白毛巾,你还站在一边不解风情。

访客

访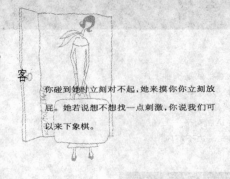客

你碰到她时立刻对不起,她来摸你你立刻放屁。她若说想不想找一点刺激,你说我们可以来下象棋。

访客

上礼拜张宝要我认 CSR 做妈,我因为抛不下面子而作罢。礼拜二接到一通长途电话,以前在美国的朋友问回台湾能不能暂住我家。

"是'朋友'还是'女朋友'?"张宝问。

"这就是我迷惑的地方。我曾对她有兴趣,不过她拒我于千里。第一次约她看电影她说头晕,第二次说她要练钢琴,第三次说摔破了眼镜,第四次说对戏院椅子的材质过敏。后来我去打听,才知道她视力 2.0,而且根本不懂哆唻咪。"

"岂有此理,过敏的藉口是我的发明,我要向她收权利金!"

"总之当年是落花有意流水无情。"

"显然她现在回心转意,想和你重谱恋曲。"

"也许她只是想省旅馆钱,看上我家就在捷运站旁边。加上我从来不抽烟,房间干净得像五星饭店。"

"你怎么这么没自信? 她选上你是因为要重新爱你,不是要占你便宜。"

我姑且相信,买了一张沙发床放在客厅。色情杂志藏到抽屉,奖状擦得亮晶晶。

"这是什么?"张宝指着沙发床。

"我想把卧房让给她,自己暂时睡沙发床。"

"是她要求的吗?"

"没有,我只是想尽地主之谊。"

136

　　"你是真笨还是藉拘谨来增加魅力？她主动住到你家，就是一种上床的邀请。你以逸待劳，不花费一卒一兵。一般女子你要甜言蜜语，搞了半天她还欲迎还拒。这名女子一上场就丢白毛巾，你还站在一边不解风情。"

　　"你讲得好像她大老远从美国来和我发生性关系！"

　　"也许她是来看故宫的瓷器，也许她要去参观台湾水泥。不过她对你绝对不安好心，而且希望很快达到目的。三年不见，她一开口就要住你家里。她怎么知道你没有和人同居，怎么知道你不是和你妈住一起？"

　　"没错，她是没问这些问题。"

　　"这表示她已经打听过你的消息，知道你一个人孤苦无依。夜里瞪着墙上的冷气，咒骂白天的客户不是东西。碗盘在水池中堆积，唯一的娱乐是修家里的电器。她知道你现在不堪一击，任何女人出现你都会束手就擒。"

　　"这太可怕了，我虽然对她有好感，但还不想和她发生关系。万一她硬要和我睡在一起，我该如何保卫自己？"

　　"这一套方法叫'自我降级'，目的是让自己完全没有吸引力。首先把洗澡的水温降低，让所有器官缩小体积。然后整晚躲在厕所里，告诉她你又开始便秘。脸故意不洗，头发弄得很油腻。睡衣的扣子完全扣齐，睡裤口袋放一支钢笔。上床后不断打喷嚏，不准她关掉电视机。坐起来剥脚底的皮，对着她把青春痘挤一挤。开始告诉她你的性怪癖，衣柜里有一打女性内衣。在床上吃东西，让枕头爬蚂蚁。床头音响放着佛经，中山

137

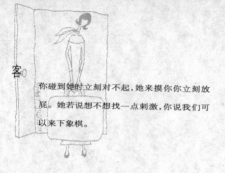

访 客

你碰到她时立刻对不起,她来摸你你立刻放
屁。她若说想不想找一点刺激,你说我们可
以来下象棋。

遗像挂在墙壁。保险套丢到垃圾桶里,提醒她她现在在经期。你碰到她时立刻对不起,她来摸你你立刻放屁。她若说想不想找一点刺激,你说我们可以来下象棋。床前的小灯绝对不熄,打呼打到惊天动地。"

"但万一她穿了一件维多利亚的秘密?"

"那你就要转移注意力。"

"怎么转移?"

"眼睛紧闭、停止呼吸。把她想像成一件机场拿错的行李,里面装满不属于你的东西。只要你原封不动地归还,航空公司就会给你一大笔赔偿金。但如果你勉强打开,会发现里面是走私的海洛因。"

"不过我这样别扭,会不会失去和她成为男女朋友的机会?"

"刚好相反。你没有邪念,脑袋会比较清醒。这正是你观察她的最好时机。她如果中午不起床,国际电话一直讲,那你不必再和她交往。她如果补足冰箱吃掉的东西,临走前把床单洗干净,那她也许是你的终身伴侣。"

我收起沙发床,当晚在床上练习如何伪装。第二天晚上电铃响,我打开门正要和她约法三章,她说:

"嗨,谢谢你招待我们,这是我的男友强纳森。"

你会寂寞,因为你住得很高、吃得太饱、家里听不到狗叫,过分使用E-mail
……

感觉有角

感 觉 有 角

我打开电视数有多少频道在卖药,不断按手机看有没有新的 voice mail。

感觉有角

上礼拜我的访客和她男友在我的卧房里尖叫,他们走后我躺在那张床上再也睡不着。我打开电视数有多少频道在卖药,不断按手机看有没有新的 voice mail。

"你寂寞时都做些什么?"第二天我问张宝。

"'寂寞'?"张宝摇头,"寂寞是一种很有深度的情绪,我从不寂寞。不过我倒时常感觉有角。"

"'感觉有角'?"

"英文的 horny,就是突然觉得很色。眼睛向女人一直瞟,鸡尾酒开始调一调。把她的裙子撩一撩,看看她会不会突然大叫。不会的话开始摸一摸她的腰,然后亲一亲她的脚。接着把她咬一咬,最后再摇一摇。"

"你怎么会有这么肮脏的想法?"

"肮脏? 根据哈佛大学的报告,男人每三分钟就会感觉有角。我一天不过两三次,已经算是乖宝宝!"

"那我是不是不正常? 有时我一个礼拜才想一次女人,而且兴致不会很高。"

"你没有不正常,你只是把那些有角的感觉内化,美其名为寂寞而已。"

我想起那些周日下午,一个人坐在家里感到没有出路。打开电视看 Winnie the Pooh,两分钟就开始打呼。翻着边缘皱褶的电话簿,斟酌着打给谁不会太唐突。最后选定大学学妹

Amy 吴,她当年好像向我借过一本书。她说喂时声音很冷酷,
显然正要出门被你耽误。突然间你六神无主,电话挂得非常急
促。你开始练中国功夫,10 分钟蹲不好一个马步。此时房东
打电话来催房租,你说对不起我要去关电炉。挂下电话你抓起
一把泥土,倒在沙发上把脸敷一敷。镜子里你头已经开始秃,
拉紧皮带也挡不住小腹。电话再度响起,你高兴地站不稳脚
步。你以为学妹想起你过去对她的好,原来是 TVBS 在做民
调。你说我很乐意回答问题,你愿不愿意和我出来聊聊。此时
你闻到一股怪味,厨房的午餐已经烧焦。

"你何必苦守寒窑? 你忍不住寂寞,就要赶快开窍。"

"怎么说?"

"你会寂寞,因为你住得很高、吃得太饱、家里听不到狗叫,
过分使用 E-mail。如果你住的地方像我一样吵,家里小得像监
牢,每餐都吃冷冻水饺,吃进去没时间嚼,包准你这些毛病立刻
就好。"

"你是说……"

"我是说寂寞是有钱人的嗜好,他们吃饱饭没事干于是开
始耍宝。"

"那你感觉有角时都怎么办?"

"首先,你到国父纪念馆跑一跑,最好累到摔跤。加入欧巴
桑的健身操,安慰自己得不到的女人有一天都会像她们一样
老。回来后洗冷水澡,冰到你跳起来大叫。嘴巴含着辣椒,眼
睛里沾满肥皂。浴缸里丢许多葡萄,洗完后一个都不能破掉。"

感

觉 有 角
我打开电视数有多少频道在卖药,不断按手
机看有没有新的 voice mail。

"干吗这样折磨自己?"

"通常感觉有角,是因为内分泌失调。你如果不想打针吃药,身体的锻炼就不能少。"

"你是说,只要身体强健,就不会有寂寞的烦恼?"

"不只身体,训练意志力也非常重要。我会突然间拔鼻毛,单手点眼药膏。用筷子吃豆腐脑,身体痒绝对不搔。夜里不看彩虹频道,推开上来搭讪的老鸨。派对上打扮成人妖,任由陌生人嘲笑。上酒家若被女友抓到,跪在她公司的门口求饶。"

"我脸皮很薄,这些事我做不到。你还有什么解药?"

"那你只剩下逛百货公司。"

"百货公司?"

"化妆品专柜的美女,她们自然会对你好。"

"我又不用化妆品,凑什么热闹?"

"你就说是买给女友。"

"你有了女友,她们还会对你有兴趣?"

"你难道不知道,越得不到的东西,她们就越想要。"

"我不懂……"

"越漂亮的女人自信越高,她们相信任何男人碰到她们都逃不了。她们看不上帅哥或富豪,却喜欢和有妇之夫乱搞。她们的爱情不在交换情意,而在证明自己。"

"也许这些专柜美女的动机只在金钱交易,她对你微笑,因为你增加了她的业绩。"

142

"那更好,如果她们的动机是新台币,我们的互动就更有

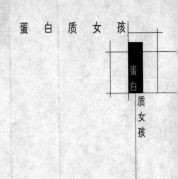

趣。她表面上不断地赞美你,心里只想你赶快在帐单上签名。某种程度上,这像……"

我正要说……

"你不用分析得这么彻底。"

"你会为此而感到刺激?"

他微笑。我看着张宝,原本感觉有角,现在心里发毛。

淑女之夜

　　崔西戴紫色墨镜，皮肤白得像宫保鸡丁。珍妮擦蓝色眼影，瘦得像非洲难民。崔西拿出Virginia Slim，张宝拿出都朋打火机，珍妮跷起脚上的Gucci，这时突然有人放屁……

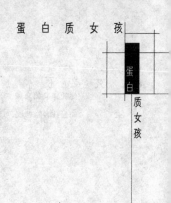

淑女之夜

上礼拜张宝教我如何应付感觉有角,我试了所有的方法都没效。

"我带你去舞厅参加淑女之夜,这会是最好的治疗!"

舞厅走了一圈,我再也没有寂寞的感觉。

"十二点方向坐着两个冰箱,你有没有胆量?"

我点头,拉挺西装。她们坐在角落,等着大企业的小开。我们拿着啤酒瓶撑在吧台,努力让自己看起来很坏。她们看我们走近,假装开始玩桌上的湿巾。张宝说小姐我们可不可以坐在这里,她故作惊讶好像不知我们是何用意。她把皮包移开,里面的保险套掉出来。我们装作没有看见,心里却开始感谢老天。张宝说我叫查理,这是我的朋友杰利。她说我是崔西,这是我的同事珍妮。大家都有默契不问真名,同时关掉口袋的手机。崔西戴紫色墨镜,皮肤白得像宫保鸡丁。珍妮擦蓝色眼影,瘦得像非洲难民。崔西拿出 Virginia Slim,张宝拿出都朋打火机,珍妮跷起脚上的 Gucci,这时突然有人放屁。

"我喜欢这首歌曲!"

机灵的张宝立刻带我们远离灾区,热舞中我们开始互相猜忌。张宝和我的表情大智若愚,心里却想这两个美女绝对不能娶。崔西和珍妮开始用嘴巴呼吸,心想谁知道这两个男的还有什么隐疾。

"想喝什么东西?"回到座位,张宝试图扭转危机。

淑

女 之 夜

你的腿又美又长，我想彻夜在旁边站岗。你
的丝袜若隐若现，可不可以借给我做蚊帐？

　　崔西点 Brandy，珍妮点 Whisky。我心想这下可不便宜，张
宝却想酒精越多对我们越有利。

　　"你们常来吗？"

　　"我们第一次来这里。"

　　鬼才相信。

　　"你们做哪一行？"崔西反问。

　　"我们在银行。"

　　"哪一家？"

　　张宝停顿了一下，不知道该不该造假。104 可以查到公司
的电话，她可以在公司门口等你回家。万一她将来肚子变大，
要整你有很多办法。

　　"艾尔史密斯。"

　　"我从来没听过这家银行。"

　　"我们是一家小的瑞士银行，一年前才进台湾。"

　　这一方面是扯谎，一方面也要确定她们不是同行。万一她
将来可能是你的 account，今晚最好不要在她面前脱光。

　　"你们在公司负责什么？"

　　"我们做衍生性商品。"

　　任何聚会中你若想转移话题，只要说出深奥的"衍生性商
品"。果然她们立刻失去兴趣，眼光开始在舞厅内游移。张宝
进入第二局，谈她们穿戴的东西。

　　"这件是不是 Prada？"

　　"你怎么知道？"

"Prada 就是要像你这么瘦的人穿才好看。"

张宝间接地灌她迷汤，让她高兴却不至于提防。你口红的颜色很漂亮，搭配你白皙的皮肤十分理想。你穿白色闪闪发光，好像朱丽亚罗勃兹演落跑新娘。你是不是从来不下厨房，为什么身上闻起来这么香？你的鞋子很特别，脱下时需不需要我帮忙？你的腿又美又长，我想彻夜在旁边站岗。你的丝袜若隐若现，可不可以借给我做蚊帐？

崔西牵起嘴角，露出今晚第一个微笑。珍妮拿出手机检查留言，不满意崔西变成全场焦点。张宝机警地说："珍妮是不是混血儿？"

她放下手机，看张宝的方向。

"你长得像……那个……那个明星……"

"藤原纪香！"我补上，"是不是很多人这么讲？"

她甩一甩长发，巴不得立刻拿出镜子端详。崔西问："你们是不是常这样一搭一唱？"、

突然间气氛有点紧张，我不知道下一句话怎么讲。张宝解围说："只有当对方非常漂亮。"

她摸摸张宝肩膀，赞许他没有弃子投降。张宝斜眼看她手掌，开始计划下一摊的地方。

"对不起，我去洗手间一下。"

"我也去。"

比赛叫停，我们胜利在望。她们会在厕所补妆，讨论我们两个是不是正常。查理非常油滑，但的确有不错的长相。杰利

淑女之夜

你的腿又美又长,我想彻夜在旁边站岗。你的丝袜若隐若现,可不可以借给我做蚊帐?

都不讲话,闷骚的爆发力也许更强。她们分配好谁由谁上,回座位时就自动坐到那个人身旁。她们会放松往后躺,装出微醉的模样。笑时头九十度往后仰,手自然掉到你腿上。其实她们清醒得可以算 8 的 5 次方,这个月的安全期有多长。装醉只是提醒你帮她们结帐,然后带她们转移战场。

"想不想去吃消夜?"张宝问。

"去哪里?"

"你说呢?"

她说我们先离开这个地方,张宝迅速握着她的手不放。我们穿过层层的人墙,吸引到许多羡慕的眼光。匆匆吃过消夜,我们站在店门口讨论谁往哪个方向。张宝和崔西往忠孝东路,我和珍妮往南门市场。我知道张宝会和她上床,今晚将是一场硬仗。我会在计程车上不断挣扎,最后还是送她回家。

第二天张宝问我为什么这么傻。

"因为我还想着 CSR。"

男人变心，很容易回心转意。女人变
心，通常就是恋曲的结局。

变心

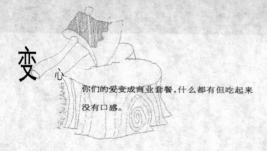

变

你们的爱变成商业套餐，什么都有但吃起来没有口感。

变心

上礼拜张宝带我去舞厅，每个女人身上我都看到 CSR 的倩影。

"你醒醒吧，CSR 不可能回来。"张宝泼我冷水。

"为什么？我和女人分手常常反悔，每次都跑回她家门口下跪。女人的心应该也可以挽回，我只要多送几朵玫瑰。"

"男人变心，很容易回心转意。女人变心，通常就是恋曲的结局。"

我想起过去变心的经验，每次都持续不了几天。只要她睁一只眼闭一只眼，通常就能破镜重圆。和她在一起十分自然，没有急欲表现的不安。一早起床可以共进早餐，她没有化妆还是能看。她的饭总是给你半碗，盯着你要把青菜吃完。下班后约在捷运车站，愿意跟你去吃路边摊。晚上坐在家看 X 档案，广告时不需要刻意交谈。睡前她会提醒你录影带该拿去还，白衬衫明天一定要换。你们对彼此的存在都已习惯，她对你的好是理所当然。你们的爱变成商业套餐，什么都有但吃起来没有口感。派对上你认识了另一个女孩，年纪轻轻却发育得很快。和她你玩笑可以乱开，不时手还可以随便乱摆。她抽烟喝酒和你打牌，谈到一夜情她见怪不怪。一晚她留你看《七夜怪谈》，你打电话回去说要彻夜加班。第二天你提出分手的要求，衣服收了立刻就走。一个月后年轻女孩认识了小开，离开时甚至没说拜拜。这时你才知道最美的还是旧爱，持久的感情往往表面是一片空白。你做了她最喜欢吃的苹果派,守在她家门口唱《往日情怀》。你诅咒自己的祖宗八代,怎么生出我这种不识好歹的蠢材!

"没错,"张宝说,"男人很不成熟,像一块煮不透的狗肉,他们变心只是受到肉体的刺激,有时根本身不由己。"

"那女人呢?"

"女人很难爱上你,但爱上你就死心塌地。第一次见面你一见钟情,她甚至连你的名字都记不清。第二天你约她看电影,还得描述昨晚的衣着和发型。三个月后她答应和你出去,临时取消只因为当天下雨。半年后她让你牵她的手,送她回家却不许你上楼。一年后她请你上去喝咖啡,不是暗示而是她家电梯闹鬼。两年后她让你进她的卧房,只因为你学电脑而她的鼠标不太灵光。三年后她终于和你上床,此后每天便粘着你不放。她为你准备早餐,一星期只能吃三个蛋。维他命 ABCD,每天一定要各吃一粒。袜子逼你每天要换,刷牙的方法她都要管。报纸不准丢在地上,杯子用完要放回厨房。上班时打电话给你,问你度假想不想去夏威夷。你知道办公室很多男生在追她,每个都有比你高的学历。其中一个一米八十几,拍广告卖卡文克莱的内衣。另外一个颇有才气,听说以前写过三少四壮集。她对他们都严辞以拒,送的花直接丢到垃圾桶里。你们的合照她放在电脑前,每个人走到她位子都会看见。你第一次出轨骗她说在公司加班,其实你在一家廉价的旅馆。第二次出轨骗她到高雄出差,没接电话因为手机忘了带。第三次你骗她说

你们的爱变成商业套餐,什么都有但吃起来
没有口感。

好友有了感情危机,你必须陪他免得他从阳台跳下去。没想到她的朋友在街上看到你,你搂着的女人穿着 D&G。她说你为什么要对我说谎,你说我们的爱早已名存实亡。你搬走后她公司的男士趁虚而入,她和他们出去仍穿你送给她的衣服。"

"你是说女人会痴情到底,永不变心?"

"她们爱你时都用了真感情,所以不可能一下子全面撤军。她们变心时比较理性,利弊得失都一定想清。然而一旦下了决定,她们往往比男人还要狠心。当你第一次回头求她原谅,她想起你们曾发誓要有难同当。她说服自己男人犯错十分平常,反而怪那个女人太过放荡。当你第二次求她原谅,她已经真正受伤。但孤单的日子她不愿再尝,接受你但不再对你有太大的期望。当你第三次出轨被她抓到,她知道你已经无可救药。她分手信写得很潦草,但下笔的力道如同一把刀。你对她是一串没有做成酒的葡萄,一张留到最后却没有中奖的统一发票。"

"你是说……"

"我是说 CSR 不会回来,你越早明白这个道理越好。她爱你时你觉得没什么大不了,如今你只剩下单人床和安眠药。"

我低下头,试着把她忘掉。

聪明的男人在发生关系后，最快
要等五天才和女方联络。这五天就是
男孩时间……

男孩时间

男孩时间

上礼拜张宝劝我忘掉 CSR,方法是每天在我面前讲她的八卦。

"够了,你不要污蔑她,"我转移话题,"你上上礼拜不是在舞厅认识一名美女,你怎么都不约她出去?"

"出去干吗?"

"你那晚不是和她……"

"那又怎样?"

"这是基本礼仪,亲密后第二天要对她特别关心,一早就快递鲜花和巧克力。如果她是第一次,你甚至应该请假陪她,解释怀孕没有那么容易,如果有事你会负责到底。"

"她不是。"

"那你至少也该和她共进晚餐,表示你不是得手后就变得冷淡。"

"我跟她说我要去旧金山,免得她跑到办公室找我麻烦。"

"你怎么可以这么无情?"我说,"她和你萍水相逢,亲密只是一时冲动。也许因为你长得像谢霆锋,也许因为她的寂寞没有人懂。你早晨醒来逃之夭夭,她正熟睡你叫都不叫。你早上没和她联络,她午饭吃得不多。你下午不和她联络,却和同事夸耀你的战果。她想打电话给你,才发现根本不知道你的姓。她充满恐惧不安,害怕你只是跟她玩玩。此时你应该送她一束花,卡片上写谢谢你让我长大。晚上再陪她去洗头发,说我随时愿意去见你爸妈。"

"你都是这样?"

"我没有经验,但书上都这么讲。"

"真是恶心,"张宝不屑地说,"你以为你这是纯情? 其实根本是头脑不清!"

"我在她怀疑时给她肯定,后悔时告诉她这不是一夜情。这是仁至义尽,怎么能算头脑不清?"

"这就像第一次去看房子就达成交易,不看地契也不检查钢筋。一厢情愿地立下誓言,你没有给自己一点男孩时间。"

"'男孩时间'?"

"你有没有看过世上最伟大的电影?"

"奥森威尔斯的《大国民》?"

"不,爱莉西亚席维史东的《独领风骚》。片中说聪明的男人在发生关系后,最快要等五天才和女方联络。这五天就是男孩时间。"

"喔——我懂了,这五天你要让女孩子寝食难安,后悔没有吃避孕丸。一方面怀念你那晚的激情,一方面害怕你不是真心。这样你就可以增加自己的权力,让她以后一切听命于你。天啊,你真卑鄙!"

"你很有悟性,"张宝嘉许,"不过等五天也不完全是欲迎还拒,更是要让双方头脑清醒,想想怎么走下一步棋?"

"有什么好想的,你爱她,你和她发生关系,你娶她,你们一辈子在一起。"

男孩时间

有一天她不再美丽我愿不愿意推她的轮椅？
有一天她不再年轻我愿不愿意帮她换点滴？

　　"不是每个人都和你有相同的次序。有的人其实讨厌她的个性，却无法抗拒她的身体。送了几千块的鲜花巧克力，终于脱掉了她的内衣。几秒钟的翻天覆地，结束后竟觉得如此而已。初识时她高不可及，到头来也不过这样容易。所以第二天他要好好想想，她值不值得付出感情？她除了鞋子还有没有别的收集？她除了发型还有没有别的兴趣？她除了'How much? How much?'还有没有别的问句？她除了'Do it! Do it!'还会不会说其他的片语？我除了新台币还能给她什么东西？衣服脱下后我们还能不能让彼此好奇？有一天她不再美丽我愿不愿意推她的轮椅？有一天她不再年轻我愿不愿意帮她换点滴？你花五天把这些问题理清，接下来就可以做个负责任的决定。如果你求仁得仁不想继续，至少她学到像你这种男人以后要保持距离。如果你舍身取义愿意开始了解她心灵，搞不好会发现她其实读过陀思妥耶夫斯基。"

　　张宝的口水溅到我的眼镜，他继续，"但如果你第二天就和她联络，把持不住一定又会去翻云覆雨。肉体这样马不停蹄，心灵反省哪会彻底？要不然就是立刻说我爱你，那也是因为昨晚意犹未尽。心想只要每天能有一次，她是木头都没有关系。"

　　"我是会说我爱她，但动机绝不是性！"

　　"那就是廉价的温情主义，或是急欲负责的虚荣心。你要证明你和别的男人不同，于是糊涂地牺牲了自己。你怎么知道她们都想再见到你？搞不好那一夜是各取所需，她们也达到了目的。她巴不得再也不要见到你，才可以去找别的刺激！"

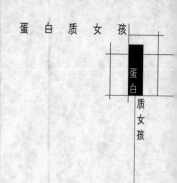

"虚荣心？你怎么能这样扭曲我的动机？"

"我有扭曲吗？"张宝冷笑，"如果你做的都是成熟的决定，为什么你所有的女友，包括 CSR，最后都会离开你？"

他一箭穿心，我撞倒桌椅。像气球泄了气，我窒息。

坏女孩

她批评你墙上的画，说看起来像我昨晚吃剩的披萨。她冲完澡走出来，劈头问你我胸部是不是有点塌。她半夜不睡觉，躺着看少女漫画。一早站上跑步机，运动装紧得像蝙蝠侠……

坏女孩

上礼拜张宝在保留男孩时间,我和在舞厅认识的珍妮见面。

"她怎么样?"张宝问。

"她请我进她房间,随即关上窗帘。她喜欢做各种实验,和她在一起我需要买保险。"

"你喜欢她吗?"

"喜欢。但我的理智告诉我喜欢她会有麻烦。"

"为什么?"

"她感觉上……像一个坏女孩。"

是的,你是乖乖牌,她是坏女孩,她让你感到不自在,你怀疑她曾经下海。国中时她们都坐在后排,发育比别的女生要快。刘海的头发有一撮故意染白,改窄的裙子短过膝盖。衬衫的扣子打开,短袖的袖子还卷起来。走路时口香糖嚼得很快,头总是往一边歪。一包长寿放在口袋,小抄夹在内衣裙摆。下课后外校的男友来载,可能是陪她去诊所堕胎。

高中后你们分道扬镳,之后你认识的都是乖宝宝。她是校刊的主编,读过原版的资治通鉴。她是合唱团的团长,5岁就会弹萧邦。她们都戴着厚重的眼镜,身材出奇地平。讲话的声音非常好听,称呼每一个人都用"您"。手帕一定每天换新,下车总是记得拉铃。模拟考都是班上第一,从早到晚都不生气。

你们都考进台大的科系,整天忙着烤肉和迎新。社团参加

坏女孩

她请我进她房间，随即关上窗帘。她喜欢做各种实验，和她在一起我需要买保险。

得十分起劲，动不动就讨论救国救民。毕业后你们都去美国留学，爸妈付钱让你们衣食不缺。回国后都在外商做事，每个人都有英文名字。生活范围局限在台北东区，没有 Starbucks 就活不下去。喜欢看 Discovery，没听过霹雳布袋戏。2000 年政府选举，没去投票在家里休息。

"你们活在一个被保护的世界，"张宝说，"虽然每天上街，其实活得与世隔绝。那些和你们背景不同的人，统统被你贴上标签。他的头发梳得漂亮，一定是同性恋。她很会化妆，一定每天和人上床。她不在乎投资理财，眼光一定很狭窄。她没听过电子商务，真是无知的幸福。因为她们不认同你的价值观，你在她们面前就失去了安全感。于是你自然地排斥她们，把她们列为坏女孩。"

"我没有排斥她们，说来奇怪，正因为她是坏女孩，我反而更迷恋她的风采。"

"哦？"

"因为她不按牌理出牌，因为她的个性随时会引起火灾。她不会等你先打电话，听到你的声音还故意装傻。她不会收了你的花，却丢掉你写的卡。她不会 forward 一堆笑话，然后质问你为什么不回答。她不会一边谈生涯规划，一边问你她该不该去染发。她不会打电话给你，又频频去接大哥大。她不会坐进计程车，要你帮她记车牌号码。她半夜跑到楼下，说今晚可不可以借睡你的沙发。她进来后先说你家真大，下一句突然说'我今天没有穿 bra'。她批评你墙上的画，说看起来像我昨晚吃剩的披萨。她在客厅更衣,你走过时刚好在脱丝袜。她冲完澡走出来,劈头问你我胸部是不是有点塌。她半夜不睡觉,躺着看少女漫画。一早站上跑步机,运动装紧得像蝙蝠侠。你说我晚上请你吃饭,她说我今晚已有好几摊。你还是去找个好女孩,我这种女人太复杂。"

"她说得对,你搞不过她。"

"正因为如此,我觉得完全解放。她直来直往,情绪写在脸上。我不用费心猜测,每天忙着破解密码。我恢复了动物的本能,重拾幼年的纯真。我不再使用大脑,全身轻飘飘。"

"天啊,她是不是给你吃了药?"

"我不知道她给我吃的是什么,不过我的心情的确变得很好。"

"听着,"张宝把我从椅子上揪起来,"你必须马上和她分开。"

"你刚才不是还叫我不要歧视坏女孩?"

"你不是真的爱她,只是想逃避乖女孩给你的挫败。或者想满足你的优越感,让她觉得和你在一起是高攀。珍妮是世界奇观,第一眼看到难免流连忘返。但她就像尼加拉瓜大瀑布,远看心旷神怡,跳进去就死无葬身之地。"

"但我想认识她,了解她。"

"你没有本钱了解她。她追求欲望和本能,你崇尚理智和安稳。她穿豹纹热裤,你穿三件式西服。你想结婚,她要私奔。结婚你想请显贵致词,她想找舞龙舞狮。蜜月旅行你要先上网

161

坏 女 孩

她请我进她房间，随即关上窗帘。她喜欢做
各种实验，和她在一起我需要买保险。

收集资料，她说到了中正机场再思考。避孕措施你坚持用保险
套，她说没关系今天我体温不高。投资理财你想贷款买房子，
她说我想要新款的奔驰。计划退休你准备买定时定额的基金，
她说我们40岁就跳楼殉情。"

　　此时珍妮跑到我们公司大厅，对着警卫破口大骂。

　　"爱她像革命，但你属于中产阶级。"

　　我听着珍妮泼妇的声音，不知该不该起义。

她问你眼睛怎么有点红，手上怎么贴了一个OK绷。你问她脸颊怎么有点肿，是不是男朋友对你凶。她说你是不是还喜欢卢贝松，咖啡依然喝得很浓。你说你是不是还喜欢苏有朋，排一小时也要挤进鼎泰丰……

分手后的政治

分手后的政治

上礼拜我爱上了坏女孩,张宝的手机两天没开。

"昨晚我遇到蛋白质女孩,"张宝说,"突然间我又坠入情海……"

"蛋白质女孩?"

"她是我半年前的女友,品性端正长相清秀。重要关头不会害羞,对我过去的性行为既往不咎。"

"这样好的女孩,你怎么会让她溜走?"

"因为我是个混球!"

"好,让我猜猜,你与她重逢,发现自己仍对她情有独钟。后来认识的女友,一个比一个像儿童。你买的书她们嫌重,你讲的笑话她们不懂。每晚在家抢电视遥控,争吵谁要去清垃圾桶。你想告诉蛋白质女孩过去半年只是南柯一梦,没有她你的生命是一场空。"

"你怎么会这么想?"

"因为我曾和你有相同的感动。你和旧爱在街头重逢,突然间变得柔情万种。小雨划过阴沉的天空,四周是月朦胧鸟朦胧。她的长发仍令你心动,她的眼神仍令你惶恐。你表面上装得轻松,腿却不停地抖动。她问你眼睛怎么有点红,手上怎么贴了一个 OK 绷。你问她脸颊怎么有点肿,是不是男朋友对你凶。她说你是不是还喜欢卢贝松,咖啡依然喝得很浓。吃饭总要加肉松,起士还不可以有洞。你说你是不是还喜欢苏有朋,猪肝是不是还不敢碰。排一小时也要挤进鼎泰丰,一口一个蟹粉小笼。她说这些年来写信给你,却不敢丢进邮筒。猜想你有了新情人,她对你言听计从。你说这些年来我常做梦,梦到你我独自坐在圣母峰。我们掉进对方的瞳孔,直到身体完全结冻。她说当年我们常去的一条龙,如今改装给 Y 世代打电动。你说我们看异形的欣欣大众,如今旁边变成六条通。她说你衬衫手肘处是不是还常破洞,破了之后谁帮你缝。你说你爸爸对你是不是还很宠,追问打电话来的男生的八代祖宗。她说当年我们唱古老的东方有一条龙,和罗大佑一样相信自己是未来的主人翁。我说如今流行的是学黑人跳舞的陈晓东,讲话越毒的明星越红。她说记不记得当年我们懵懵懂懂,立下许多海誓山盟。我说如今我们被贷款逼疯,每天祈祷刮刮乐会中。她说记不记得——"

"等等,等等,"张宝打岔,"你讲得很浪漫,不过和我昨天的遭遇完全不同。我对蛋白质女孩已没有感觉,连交换新名片都兴致缺缺。她现在脸胖得像肉粽,穿着邋遢得像菲佣。"

"那你怎么会坠入情海?"

"我爱上的是和她走在一起的朋友!"

"什么?"

"我和旧爱在街头重逢,突然间变得柔情万种。她向我倾诉这些年来的变动,我一直偷瞄她朋友坚挺的双峰。她问我是不是还喜欢卢贝松,我在想她朋友看电影会不会有空。她说要不要去喝个卡布奇诺,我只想单独和她朋友你侬我侬。我盘算

分手后的政治

这些年来写信给你,却不敢丢进邮筒。猜想
你有了新情人,她对你言听计从。

"狡兔死走狗烹,要认识她朋友得从她着手。所以我表面上把蛋白质哄一哄,说真高兴你有一个好友生死与共。心里希望她们赶快内讧,这样我才能向她朋友进攻。"

"可是,你总不好意思在蛋白质女孩面前约她朋友。"

"没错,但你要和蛋白质女孩结盟,让你们之间能够完成'三通'。"

"你希望蛋白质女孩帮你追求她?"

"你当然不能让蛋白质觉得你在利用她。你要先假装关心蛋白质的近况,问她最近忙不忙。平常有没有上网,寂寞时是不是一个人泡浴缸。她自然会谈到某某某是我的死党,所有的店我们都一起逛。你说你们气质很像,外表漂亮但不至于嚣张。她说谢谢你的夸奖,我的朋友还没有对象。你说这怎么可能,我以为追你们的男人好几打。她告诉我她朋友的电话,说她每晚9点以后都在家。你说我约她也只是想起你,永远会挑剔她如何比你差。她说你不要太傻,我希望你能够爱上她。将来生一个胖娃娃,我还可以当干妈。"

"万一她没有这么伟大,觉得你追她朋友是在羞辱她?"

"那你就要背着她暗中进行。打听这女子下班的路径,无意间和她巧遇。和她等同样的公车,问她肚子会不会饿。请她吃家常小菜,赞美她是你看过最美的女孩。"

"万一她去告诉蛋白质?"

"那你就死不认帐,说只是想和她打听你的近况。我依然对你挂肚牵肠,只是不敢当面对你讲。"

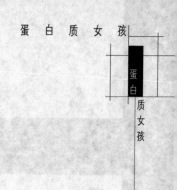

"你怎么这么无耻?"

"无耻?"张宝骄傲地说,"我只是熟悉分手后的政治!"

走到圆环你们绕到诚品看书，她立刻走到文学名著。她说最喜欢的是普鲁斯特的往事追忆录，你说你最喜欢的是迪斯尼的跳跳虎。她说你这么幼稚谁敢当你的媳妇，你说难道你有意角逐……

约会的方式

约会的方式

上礼拜张宝遇到了旧爱,我开始约坏女孩。

"她说她要为我而变乖,发型和穿着会改。"我兴奋地对张宝说,"今天我们第一次约会,我竟不知道要去哪里。"

"绝对不要上餐厅或看电影!"

"为什么?"

"吃饭要两三个小时,对初识者是很大的投资。帐单通常两三千块,若你不喜欢她岂不是划不来。何况吃是粗鲁的活动,你会看到对方满手是油。鸡腿啃到骨头,还舔来舔去不肯放手。舌头上有嚼烂的碎肉,喝汤时嘴巴像漏斗。若是吃了太多豆类,待会儿放屁岂不害羞?"

"电影又有什么不好?"

"你如果选在热门戏院,排队就要排个很久。进场挤得头破血流,可乐加爆米花要一百六。两小时不能和她交流,片子难看也不好意思开溜。为了让她了解你的个性,你对电影的反应要十分小心。幽默对白笑得特别大声,为了显示你很有水准。感人场面你吸着鼻子,好像在等她给你面纸。裸露镜头你老僧入定,仿佛自己寡欲清心。低级笑料你摇头叹息,心里却想我一定要去买 DVD。两小时表演下来,还没散场你已经累坏。她对你仍不太认识,你对她仍一无所知。"

"不看电影,大概只能去唱 KTV。"

"和初识的女生唱 KTV,就好像和她去裸体海滩日光浴。

约会的方式

彼此距离有一步远,反而容易触电。

彼此的缺点暴露无遗,不管你们怎样调 key。你如果点《三月里的小雨》,她知道你上了年纪。你如果点蔡依林,她觉得你还没脱离青春期。她如果点《无字的情批》,你觉得她好像不够高级。她如果点王菲的歌曲,你会笑她自不量力。如果你都不唱歌,可能显示你害羞闭塞。如果你唱太多歌,口水会泛滥成河。如果你唱时她在接手机,立刻显示她对你没有兴趣。如果她唱时你去洗手间,今晚过后大概不会再见面。"

"难怪我一直交不到女朋友,因为我一直在从事上述活动。那你约会都用什么方式?"

"我喜欢散步。两个人眼睛向前,不用盯着对方的脸。彼此距离有一步远,反而容易触电。我喜欢和她走在仁爱路,从'总统府'走到市政府。在鸿禧大厦停下脚步,幻想两个人住进去的幸福。慢慢走到竞选总部,争辩到底谁赢谁输。讲到最后她说她不支持台独,你改变话题说要不要吃关东煮。然后走到空军总部,你说你当兵时非常辛苦。掌厨时全排食物中毒,被罚半夜起床练刺枪术。她说男子汉大丈夫,你怎么软弱得像浆糊?有一天你有了小孩,你太太怎么敢单独让你照顾?接着你们走到九如,点了一碗汤圆果腹。你喂她一个汤圆进肚,却是你自己感到满足。你虽然不姓辜,却拥有全世界的财富。

走到圆环你们绕到诚品看书,她立刻走到文学名著。她说最喜欢的是普鲁斯特的往事追忆录,你说你最喜欢的是迪斯尼的跳跳虎。她说你这么幼稚谁敢当你的媳妇,你说难道你有意角逐。离开诚品你们看名品店橱窗的衣服,心想这些都是很好

的生日礼物。你说她很适合那件 Armani 的长裤,穿上去感觉有 165。她说我已经心有所属,别人的眼光我何必在乎。离开诚品走到富邦大楼,坐在台阶她点起蜡烛。你买了一包可乐果蚕豆酥,她一个个丢到天空再用嘴巴接住。天上的星星你们一个个数,地上的汽车你们算有多少超速。她的头发飘到你的眼珠,茂盛得像前方的行道树。

你们继续走到延吉街喝木瓜牛乳,你吓她说你最近好像有点发福。她说我们去参加亚历山大俱乐部,明天开始只吃豆腐。路上电线杆贴着房屋出租,你问她愿不愿搬出来和你一起住。她说这是不是变相的求婚,你开始支支吾吾。接着你们走到中山纪念馆,很多阿公阿妈在跳社交舞。她说想不想像他们一样幸福,七老八十还会争风吃醋。最后你们走到华纳威秀,她拉你进去看《人骨拼图》。你警告她这部片子十分恐怖,她说你怎么胆小如鼠。看完后她吓得抱着你哭,鼻涕弄湿了你的衣服。"

"真是太感人了!"我忍不住流下泪水,"后来呢?"

"我去厕所拿卫生纸,认识了另一个女孩子。第二天我更改电话和地址,没有给她任何解释。"

"你……"

"我本来又想同这个女子去走仁爱路,她竟说直接去凯悦不是很舒服。我大声疾呼感谢主,终于有人体谅到我是扁平足!"

我一拳把张宝击倒,他开始狂笑。

派对

主办人在餐厅包场，邀请的女生既专业又漂亮。她们记得一元台币等于多少英镑，讲的笑话比军中还黄。男生的味道比女人还香，老实诚恳得像阿亮。你当然看不到他们的痔疮，5秒钟一次的性幻想……

派对

上礼拜张宝教我约会的方式,我在仁爱路踩到一团狗屎。

"别灰心,我带你去参加一个派对。"张宝说。

"我没兴趣。"

"这种派对非常好玩,去一次保证你终生难忘。主办人在餐厅包场,邀请的女生既专业又漂亮。她们记得一元台币等于多少英镑,讲的笑话比军中还黄。男生的味道比女人还香,老实诚恳得像阿亮。你当然看不到他们的痔疮,5秒钟一次的性幻想。出现时你必须装得很忙,迟到两小时最为恰当。你的记性一定要强,陌生面孔要过目不忘。因为每个人的工作都很像,英文名字一个比一个长。名片记得要双手奉上,明明没听过对方也要说久仰久仰。为了暖场你可以说嘿你长得跟某明星很像,我一定不是第一个这样讲。他若无自知之明会觉得你有独特的眼光,他若有自知之明也会觉得你很识相。

互相介绍后首先谈共同的朋友,你的同事中有没有我的学长,我有一个朋友也在你们银行。接着谈和主办人的关系,你怎么认识迈克张,留学时他常载我去超级市场。然后谈彼此的公司,你们的股票会不会涨,我们那个案子要请你们多帮忙。最后谈共同的客户,某某某真是混帐,听说他晚上当牛郎。此时大概到了5分钟,你应该开始寻找其他的对象。"

"但有时对方讲得兴致高昂,你不好意思中途离场。无趣的笑话她一直讲,你必须用力压住膀胱。"

派 对

莫非他有了条件比我好的对象,还是看破了
我的美都是化妆?

　　"这时你要编一个藉口。"

　　"什么藉口?"

　　"对不起我的手机在响。"

　　"你怎么能让此时刚好有人打来?"

　　"没有人打来。你的手机来电震动,你可以拿起来假装。"

　　"但如果她非常漂亮,你一看到就想和她上床?"

　　"你更要表现出无欲则刚,5分钟就把她甩在一旁。她会想别的男人都缠着我不放,这小子两三句就主动退场。莫非他有了条件比我好的对象,还是看破了我的美都是化妆。她一旦开始胡思乱想,对你的兴趣也就越来越强。"

　　"好阴险的伎俩!"

　　"其实这是为你着想,免得你到头来对她失望。有些美女十分善良,你没有认识她们的面相。有些美女非常假装,你往往很难抵挡。5分钟内假装美女像一片口香糖,没有营养但至少口气清香。5分钟后她们开始无趣地像报路况,十句话有九句在打乒乓。"

　　"可是,离开她如何打入另一段对话?"

　　"这时候我们两人就要互相帮忙。你走到我旁边,对我翻个白眼。我大声叫嘿好久不见,我以为你还在国外赚钱。接着我把你介绍给大家,当然连带地推销一下。我和他从小一起长大,每个老师都最喜欢他。他的毛笔字都得甲,曾向全班示范过如何刷牙。"

　　"这种乖乖牌早就没有市场!"

174

"说的也是……那么这样：他参加过飞车党，抢过数十家统一超商。屁股上纹了一株仙人掌，每一根刺代表一次感情创伤。"

"我不需要你替我推销，我只要诚恳就好。"

"诚恳？诚恳会让你一个人在角落喝饮料。"

"照你这样说，派对里应该尽量哈啦，讲些言不及义的话。"

"没错，一旦对话开始有了主题，你必须趁早闪避。"

"比如说？"

"比如说派对中总会有一群女子，黑色高领毛衣和 Prada 裤子。眼镜是复古的黑框，皮肤白得像豆腐一样。抽的薄荷烟一根比一根长，擦的口红一个比一个亮。她们痛恨微软的视窗，认为它象征了资本主义的魔掌。她们喜欢讨论荣格或拉冈，把男性每个动作都诠释为性的欲望。如果你多看一眼她们的胸膛，她们就认定你有沙文主义思想。碰到这种对话，你要说我听到警报在响，我得去看看有没有人砸了我的车窗。"

"还是跟男性谈话比较安全。"

"派对中也有一群男子，任何事都可以扯到政治。他们批评所有的政党，老用外面的例子来衡量这里的现象。他们认为所有候选人都在说谎，唯一可以相信的是许信良。他们以为是来参加全民开讲，声音比李涛还要响亮。碰到这种对话，你要立刻说糟了衣服沾了沙茶酱，必须立刻去厨房。"

"还是谈我们的本行。"

"千万不可。派对中也有人学商，讲的每一个字中都要跟

175

派 对

莫非他有了条件比我好的对象,还是看破了我的美都是化妆?

P搭上:HTTP、SAP、ERP、ISP、ICP、ASP、S&P、IPO、EPS。为了避免暴露自己的无知,你的嘴最好一直盖着餐巾纸。"

"照你这样说,派对里根本不用讲话了。"

"没错,派对的目的是收集电话号码,回来后再从长计划。"

我们走到了餐厅门口,张宝把头发抹光,准备打一场硬仗。

一个天蝎一个处女，一个冷淡一个热情。两人座位中间有一台复印机，创下公司最高的使用率……

双重约会

双重约会

上礼拜张宝带我去派对，临走前他看上两个美眉。回来后他十分气馁，不知道怎么和其中一名约会。

"约女人几时难倒过你？"

"这次我可能败北，因为她们情同姊妹。"

啊，你知道这样的女人，她们永远形影不分。两个人条件相近，甚至有相同的发型。都曾受邀上"非常男女"，很有默契地一同婉拒。她叫莎莉她叫薇琪，她是 AE 她写 copy。一个天蝎一个处女，一个冷淡一个热情。两人座位中间有一台复印机，创下公司最高的使用率。每当夹纸或碳粉用尽，同事们竟然会抢着修理。两人亦步亦趋，食衣住行都在一起。每个月同样的日子发脾气，大家怀疑她们有相同的经期。午餐点一样的东西，上厕所时坐在隔壁。对方不在时为她接手机，对打来的男人都没好口气。下班后一起到 Idée，互相为对方选合适的内衣。周末时一起去看 007，客满时一个位子也愿意挤。年假时同游巴黎，机场内都掉了行李。飞机上一起看电影，都喜欢布莱德彼特的小屁屁。巴黎同时有艳遇，追薇琪的人是追莎莉的弟弟。

E-PHONE 广告出来后，她们的关系更加紧密。像微软的视窗和 IE，变成不可分割的 package。夜里一起去"官邸"，点的是 Scotch 和 Bloody Mary。派对一同出席，不理别人自己在墙角低声细语。男人若对薇琪有兴趣，得先回答莎莉的问题。

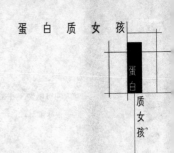

你当晚能单独约到薇琪的机率非常低,顶多是三个人一同转移阵地。

回来后两人会交换对你的评语,意见第一次有了分歧。薇琪说你蛮有诚意,莎莉听说你很花心。薇琪感受到你的爱意,莎莉说这种人只爱自己。薇琪说你的幽默一针中的,莎莉说你的笑话都很低级。薇琪觉得你的小眼睛有魅力,莎莉嫌你的单眼皮。薇琪考虑单独和你出去,莎莉说约会地点最好靠近警察局。

"没错,"张宝说,"所以我要追薇琪,一定要先搞定莎莉。"

于是你打电话给莎莉,问她对那天派对的看法。她说那天有个男人穿 Prada,但看起来还是很邋遢。你明知道她在对你开骂,为了大局也只好装傻。心想有一天我要盖一座雷峰塔,把你一辈子往下压。你开始逢迎拍马,说她长得像林青霞。一定当过大学校花,现在的男友不只一打。她一时没回答,显然被你的谎言软化。你说你们公司楼下有一个 Starbucks,改天请你喝下午茶。

"等一等,"我打岔,"你到底追的是谁?"

"薇琪。但我在进行统战,先得到莎莉的好感。"

"有效吗?"

"第二天我打电话给薇琪,约她周末去看 The Beach。中午她和莎莉吃饭,自然会问莎莉衣服该怎么穿。此时莎莉已经改变了对我的观感,搞不好会劝薇琪说我就是 the one!"

"不对不对,"我摇头,"如果我是莎莉,我会觉得你对我的

双

重 约 会

女人间可以牵手在街上 shopping，两个人舔
同一根冰淇淋。

甜言蜜语是一种示意。我对你失去敌意，是因为我以为你想跟
我在一起。搞到最后你还是去追薇琪，我反而更加生气。"

"那更好！她一旦对我生气，坏话就会说得很难听。薇琪
会觉得她失去理性，批评我只是因为妒嫉。这样刚好挑拨两个
人的感情，搞不好她们还会因此断绝关系。"

"你太低估了女性间的友情，她们不像我们只有吃喝玩乐
才在一起。男人间的友情层次很低，交往大多是为了名利。我
们小时候互抄习题，打橄榄球时置对方于死地。当兵时一起去
831，常骗他老婆他昨晚和我在一起。聚会时比赛谁最会放屁，
美食的定义是台啤和花生米。谈话内容永远是女人的身体，或
是如何治疗便秘。唯一的交流是饭岛爱的 VCD，但绝不会在
一起讨论日剧。我们不会碰触对方的身体，拍拍肩膀都觉得
恶心。

女人却可以牵手在街上 shopping，两个人舔同一根冰淇
淋。失意时倒在对方怀里，为彼此披上大衣。偶尔会交换日
记，对方的生日都记得送礼。她们会谈人生的道理，分享彼此
的秘密。她们会鼓励对方独立，李昂的《杀夫》都读得很彻底。
她们发明了女性主义，男人永远搞不懂那是什么东西。"

"所以……"

"所以当莎莉告诉薇琪你对她说的那些甜言蜜语，薇琪绝
对会深信不疑。"

"你说的有道理……对了，那我们就来个双重约会，分散莎
莉的注意力。我追薇琪你管莎莉，如果她刚好爱上你，那岂不

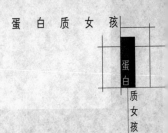

是皆大欢喜?"

我摇头,知道灾难就要来临。

你受过高等教育，读过苏格拉底。你炒作股票，一天中输过一亿。你去过南极，发现外星人的遗迹。你潜水时不背氧气，有一次遇到鲨鱼。这些大风大浪都难不倒你，但你却不敢打电话给莎莉……

伺服器的速度

伺服器的速度

上礼拜我陪张宝去双重约会,临走前张宝说这个周末我请大家到我家喝咖啡。

"谁说我要请喝咖啡?"

"我省去你单独约莎莉的迟疑,用团体活动来拉近你们的关系。"

"为什么要到家里?"

"家里的感觉很温馨,女生会失去警觉性。"

我摇头,"诸葛亮当初为什么要唱空城计,就是怕敌人知道他实力空虚。刚认识就请她来家里,就像她穿大衣而看到我裸体。她会翻我的书架,发现所有的书都很新。上我的厕所,看到马桶里有一圈黄黄的东西。看我的冰箱,闻到两个月前的spaghetti。开我的衣柜,发现竟然有女性内衣。她会知道我信箱里没信,整个晚上没有电话铃。我苦心经营的形象,一晚下来不都成了泡影?"

"但如果你设计得宜,就有机会毕其功于一役。想想看,万一你们真的来电,卧房就在旁边。你有主场优势,还不用付宾馆钱。"

"我床头有一张全家福的照片,我怎么能对着它和别人通奸?"

我们的讨论不了了之。礼拜三,张宝打电话来,"你跟她们约了没有?"

伺服器的速度

刚认识就请她来家里，就像她穿大衣而看到
我裸体。

　　"我以为我们只是说说而已。"

　　礼拜四张宝说："她们打大哥大给我，抱怨你没有诚意！"

　　"她们打给你，你为什么不直接和她们约定？"

　　"你是主人，当然应该由你来邀请……等一等，哦……你不敢打电话给莎莉对不对？"

　　"谁……谁说的？"

　　"你受过高等教育，读过苏格拉底。你炒作股票，一天中输过一亿。你去过南极，发现外星人的遗迹。你潜水时不背氧气，有一次遇到鲨鱼。这些大风大浪都难不倒你，但你却不敢打电话给莎莉！"

　　"我怕被她拒绝，怕她觉得我太侵略。怕她的语气冷冰冰，怕她说嗯……恐怕不行。怕我打给她时她正在开会而把声音压低，怕她回电时严肃地问你找我有什么事情。怕她的藉口会侮辱我的智力，怕她说我现在不确定若我能来再打电话给你。我怕她太聪明，永远留给自己很多弹性。每个人来邀约她先问还有谁要去，仔细考虑哪里有最多的帅哥和最少的美女。有没有人将来能和她做生意，有没有人能帮她拉关系。她若出现一定迟到一小时，享受被一一介绍给每个人的优势。她若不喜欢在场客人总有藉口先行离席，永远不记得饭钱也应该付十分之一。"

　　"莎莉不会这样，她喜欢你。她还问我你的星座和血型，衬衫袖长是不是 31。"

　　礼拜五中午，张宝再问："你为什么还没跟她们联络？"

"我留了话在莎莉办公室。"

"什么时候?"

"昨晚 12 点。"

"12 点谁会在? 你存心要避开她。"

"至少她知道我在找她,她若有兴趣会回电给我。"

"她在公司,你现在打去。"

我 E-mail。礼拜五下班前没有回音。

礼拜六中午,张宝说:"她收到 E-mail 没有?"

"我……我不确定,那要看她们公司伺服器的速度。"

"你现在打电话给她们。"

"我为了装酷,根本没问大哥大号码。"

"惨了,我也没问。"

"她们有你的大哥大,如果有诚意,为什么不打电话问你?"

"她们先前已经打了好几次,现在总得表现一点矜持。"

"怎么这么小家子气,"我咒骂,"打个电话有什么关系?"

"今晚算了。"

"等一等!"我抓住他,"万一她们收到 E-mail,真的来了怎么办?"

"我不能把我的周末赌在她们伺服器的速度。"

"你还是来。若她们没到,至少有我和你。我们可以看卫视的泰坦尼,听蔡依林的新 CD。"

"和你看泰坦尼? 我宁愿回家读《地下室手记》!"

"我还有饭岛爱的 VCD,花花公子的千禧年月历。"

伺服器的速度

刚认识就请她来家里，就像她穿大衣而看到我裸体。

"没有人要你留在家里。"

"我出去，万一她们来了怎么办？"

在我恳求之下，张宝勉强来到我家，条件是她们若没出现，他可以用我的电话拨 0204 号码。他拿出大哥大，我们同时盯着上面的绿色闪光。收讯良好电池很强，就是没有响。约定时间两小时后，门铃终于响了，我打开门……

高兴地接下披萨。《泰坦尼》正演到高潮，我递一块给张宝，他已经哭得无可救药。

有一回薇琪心情不好，打电话来和
他谈心。他不知如何鼓励，就说让我为
你拉琴。当薇琪的车经过仁爱路的圆
环，她抬头看满天的星星。此时耳中传
来《101次求婚》的主题曲……

90 度裤子先生

90 度裤子先生

上礼拜我在家开派对,第二天早上起来果然乐极生悲。

"莎莉和薇琪呢?"中午醒来张宝大叫,显然不习惯女生先落跑。

"薇琪要结婚了!"礼拜一我去找薇琪,回来后告诉张宝。

"什么?"

"她要结婚了,昨晚是她的告别单身派对。她满足了所有的性幻想,婚后就不会红杏出墙。"

"我以为她是真的喜欢我……"

"她是喜欢你,她说你会永远在她心上。"

"我不要在她心上,我要在她床上!"

"可惜她要嫁给别人。"

"她老公是谁?"

"你不要枉费心机,你没有办法跟他比!"

"他是镭射头,强壮幽默潇洒多金?"

"他是'90 度裤子先生',每天削了苹果后快递。"

"什么?"

"他裤子笔挺、坐姿端正,坐着时膝盖下有一个 90 度的直角,你可以在那里开一扇门。"

"他干什么的?"

"他是肠胃科的医生,与薇琪相识在周四的门诊。困扰薇琪多年的胃痛,他开刀的结果非常成功。麻醉前她眼睛哭得好

红,他拿下口罩说我保证这绝不会痛。手术多花了 90 分钟,只
因为他坚持要细细地缝。一个月后他打电话给薇琪追踪,问她
伤口有没有肿。薇琪说谢谢你救我一命,我请你吃饭庆功。"

"他是她的医生? 天啊,这种竞争不公平!"张宝愤而起身,
"他可以要她宽衣,她不会有任何怀疑。他可以摸她肚脐,她还
说拜托你摸个仔细。他可以替她照胃镜,她痛得死去活来还握
他的掌心。他可以随时打电话给她,美其名是讨论她的病情。
他可以半夜到她家,说我还是对你有点担心。"

"他有点口吃,下班后还穿着白衣。个性严谨,看过最近代
的小说是《西游记》。沉默寡言,周末在家做飞机模型。没有情
调,薇琪生日送的是果汁机。"

"你是说他是一个好医生,却不是好情人?"

"那就要看你如何定义'好情人'? 他虽然不会花言巧语,
做的事却可歌可泣。午餐时他会削两个苹果,切片后装在塑胶
袋里。然后放入医院的公文封,请快递在一点前送给薇琪。"

"他削苹果是不是用手术刀? 那样的苹果有没有细菌?"

"我没问得这么仔细。"

"他如何让苹果在运送过程中不变色,是不是先用生理食
盐水冲洗?"

"重点不是在他如何处理苹果,而是在他会做这种事情。"

"这有什么了不起? 我也送过薇琪玫瑰花,一出手就是
两打。"

"你有亲自挑选、剪裁、搭配、包扎吗?"

90 度裤子先生

他不会一早起来说我爱你,但会确定她早上
喝的果汁中有维他命 A、B、C、D、E。

"这是一个专业分工的时代,事必躬亲违反了经济原理。"

"他不但事必躬亲,而且是完美主义。他每天早上为她榨综合果汁,都请营养师在一旁监视。他不会一早起来说我爱你,但会确定她早上喝的果汁中有维他命 A、B、C、D、E。"

"他到底是医师还是厨师?"

"他的细心不限于吃。他还会拉小提琴,小时候得过全省冠军。有一回薇琪心情不好,打电话来和他谈心。他不知如何鼓励,就说让我为你拉琴。薇琪拿着手机,随时都可能断讯。他把话筒放在腿上,慢吞吞地开始调音。当薇琪的车经过仁爱路的圆环,她抬头看满天的星星。此时耳中传来《101 次求婚》的主题曲!"

"我猜他还会吹肯尼 G,表演时双眼紧闭,"张宝尖酸地说,"嘴巴用力得像吸尘器,却不忘停下来说我爱你。"

"你看,这就是你的问题!"

"我的问题?"

"你玩惯了爱情游戏,招术已经炉火纯青。每一句话都另有含意,每个动作都动机可疑。爱情的根源是身体,分手后都变成仇敌。你习惯用讽刺来保护自己,碰到困难就扬长而去。纯情在你心中已经过气,爱对你来说只是一种演习。"

"哇,我好怕,也许我应该去看我的情敌,也许他有药可医。"张宝说,"原本我还没把握追到薇琪,现在知道一定会胜利。这种国中生式的爱,你想能维持几个星期? 有一天快递迟到,苹果是不是就要生锈? 小提琴独奏,听久了像欧巴桑喋喋

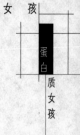

不休。有一天薇琪要吃麻辣锅,他会说这对你的胃不好。有一天薇琪要吃大闸蟹,他会说这玩意儿胆固醇很高。他是医生,爱她的方式是治疗病症。我是情人,爱她的方式是帮助她享受人生。我不给她维他命 C,但用恋爱来增强她的免疫力。我不会拉小提琴,但她难过时带她去唱 KTV。他可以让她健康安全 100 年,我可以让她彻底燃烧 50 天。如果你是薇琪,你要和谁在一起?"

我犹豫。

藉口

　　我知道你很忙，一个礼拜飞两次香港。我知道你的电话天天响，爱的路上不断连庄。但我也知道你受过伤，对每个男人都严加提防。寂寞时你偷吃糖，星期六夜晚你只能上网……

藉口

上礼拜张宝想阻止薇琪的婚事,他派我约她出来吃台湾小吃。

"她这礼拜都有事。"我沮丧地告诉张宝。

"女生有基本的矜持,她们一概拒绝第一次。约她们你要像法师,有出家的胸怀和入世的坚持。"

"这不是第一次。"

"那就是你的技巧有瑕疵。"

"没错,每次约女生感觉都像玩 lotto,一讲话就像投了暴投。每次她们拒绝我的理由,我都不知道是不是藉口。"

"你说说看,我来替你判断。"

"我要加班。"

"可能是真的。"

"我要去看外婆。"

"最近天气不好,外婆可能感冒。"

"她下一次说要去看外公。"

"外婆传染给外公,非常合理。"

"接下来两次是爷爷和奶奶。"

"亲家平常有往来,可能是忘了用公筷。"

"你怎么这么乐观? 别人讲到这里你还听不出来?"

"我当然听得出来,但追女生就是要不怕失败。她的藉口越精彩,你要表现得越无赖。"

最厉害的人让她们冲动,中等的人让她们心
动,至于你,你可以让她们感动。

"你这样没有帮到我,你要告诉我当她们拒绝我时怎
么办。"

"好,你再来。"

"我头痛。"

"这个高明。各种疾病中她选头痛,因为这种病外人无法
辨别真假。她若说感冒,你可以说你怎么没有咳嗽鼻塞?她若
说发烧,你摸摸头就知道。头痛完全是自由心证,你没有质疑
她的可能。这个太难,换一个。"

"我要带狗去看病。"

"你可以说:'我认识一个很棒的兽医。'"

"我要加班。"

"那我们约下礼拜。"

"我要忙一个月。"

"那我跟你约两个月后。"

"咦……有道理。"

"一般人都想立刻约到,女生就可以说这两个礼拜忙得不
可开交。与其和她在短期斤斤计较,倒不如订立一个长期目
标。谁会忙到排满了两个月以后的行程表?"

"如果她说我要去美国。"

"什么时候回来?"

"一年后。"

张宝陷入苦思,然后拿出电话本:"你去哪个城市,我请我
那边的朋友照顾你。"

“没错,这一方面显示你并不自私,二方面可以请你的朋友代为监视。”

“让她感觉你爱她爱到不需要每天在一起,天涯海角都可以心有灵犀。”

“如果她说我今晚要和男朋友约会。”

“我没想到你已经把我当成男朋友了!”

“这太皮了。”

“我知道,我只是先逗她笑,然后说:'带你男朋友一起来。'”

“你疯了?”

“她搞不好根本没有男朋友,说这话只是在考验你。你如果这样就打退堂鼓,表示你其实有没有她都没有关系。再说,就算她有男朋友,你展现出不畏情敌的自信,她反而会对你更为好奇。”

“我怀孕了,未来十个月都没空。”

“这种女人你搞不过,你要立刻让给我。万一你临时找不到我,可以先说:'宝宝若是女孩,一定跟妈妈一样可爱。我知道怎么喂奶,尿布也换得很快。如果你需要帮助,我可以随时赶来。'”

“万一她真的有小孩?”

“你一边说我愿意娶你当太太,一边设法说服她去堕胎。万一她坚持把孩子生下来,你再说公司派我到美国出差。”

“有一种女人根本懒得给你藉口,直接说你不要来烦我。”

最厉害的人让她们冲动,中等的人让她们心
动,至于你,你可以让她们感动。

"这时候你要放下自尊心,脸上装出难民的表情。用手戳
自己的眼睛,让眼泪流个不停。鼻涕用力去擤,甚至可以假装
抽筋。嘴唇咬得很紧,跟她的距离越来越近。然后你说我知道
你很忙,一个礼拜飞两次香港。我知道你的电话天天响,爱的
路上不断连庄。但我也知道你受过伤,对每个男人都严加提
防。高速公路上听路况,突然想起他带你去过的地方。寂寞时
你偷吃糖,星期六夜晚你只能上网。礼拜天早上赖床,不敢面
对屋内的空旷。我知道我很脏,指甲留得很长。我知道我很
胖,头顶已经开始发光。悄悄话我不会讲,情歌也不会唱。事
业我不敢闯,老板面前我屁都不敢放。我知道我没有经验,幸
福来时我总是紧张。遇到挫折很快投降,碰到好女孩不敢去
抢。虽然如此,我自信我们是最适合的一对,为了避免你我一
辈子后悔,你可不可以给我一个机会?"

"这样有效吗?"

"大部分的女人都有一个弱点,你绝对要狠下心去剥削。
她们的心肠很软,经不起你一烦再烦。你只要坚持到底,她们
通常都会勉强答应。记住,追女人其实很简单,最厉害的人让
她们冲动,中等的人让她们心动,至于你,你可以让她们感动。"

"感动?"

"感动。"

张宝拍拍我,我突然又有了勇气向前冲。

她的心像杭州西湖，你的心是一栋鬼屋。她的情感像合作金库，任你自由开户。你的情感像一间当铺，别人给的总是超过你的付出。她爱别人像押注，不在乎是赢是输。你不是好的赌徒，总是半路打退堂鼓。

情书

首先要强调她的美丽,说你让我重新相信了主。

情书

上礼拜张宝要我约薇琪出来,薇琪用各种藉口搪塞。到最后她不接我的电话,我的心像一块烧焦的木柴。

"你为什么不用情书跟她表白?"

"情书?"

"或是网路。"

"我讨厌新潮的网路,E-mail 只适合散布病毒。大家只在乎传递的速度,情感却变得越来越粗。我怀念古老的情书,它是一种压抑的幸福。信纸上的香水浓得像必安住,顶端的励志诗一句比一句俗。坐在书桌前看着空白的信纸,后悔小时候没有好好念书。你必须找到一个角度切入,让她知道你爱她入骨。你仔细回想和她的接触,每一次都吞吞吐吐。你们之间重视礼数,从来没有火花喷出。突然间你意识到你们条件的悬殊,追到她的机会像水星登陆。她的脸像一块豆腐,你的脸像一块泥土。她的身材像辛蒂克劳馥,你永远不会是劳勃雷德福。她的心像杭州西湖,你的心是一栋鬼屋。她的情感像合作金库,任你自由开户。你的情感像一间当铺,别人给的总是超过你的付出。她爱别人像押注,不在乎是赢是输。你不是好的赌徒,总是半路打退堂鼓。"

"懦夫!"张宝说,"你怎么这么容易泄气? 你难道不知道,五四健将罗家伦其貌不扬,但就凭一手美丽的情书,娶到了北大的公主。"

"我不像他想像力那么丰富。"

"没关系,让我教你一些写情书的基本功夫。首先要强调她的美丽,说你让我重新相信了主。当上帝创造夏娃,一定是以你做蓝图。"

"万一她不漂亮,觉得你的赞美是故意侮辱?"

"那你就强调她的特殊。我以前爱上的都是散弹露露,口中有痰就随地乱吐。你却像一本经典好书,每天让我学到新的事物。和你在一起我敢看你的眼珠,跟你讲话会自然走近一步。我们约会没有脱过衣服,每次结束我却满足得想哭。"

"这些太老套,别的男人一定用烂了。"

"好,那我就教你进阶的绝招。你会发现读诗的重要,引述佳句绝对是你的法宝。如果你要表达传统的爱意,可以引用赵孟頫的'你侬我侬、厄煞情多、情多处——'"

"等一等,薇琪是70年代的,她不可能听过这首歌。我可不可以引用现在最流行的徐志摩:'我抬头望,蓝天里有你,我开口唱,悠扬里有你,我要遗忘——'"

"可以是可以,不过现在的女孩子都很实际。徐志摩式的情书像是网路股的本益比,一时 sexy 但久了还是要看你获不获利。所以你不要全篇都是甜言蜜语,可以适时地谈谈你的专业领域,这样她才会觉得你已经把她和生活结合,爱她入骨但也想过贷款问题。爱因斯坦在给他同学米列娃的情书中说:'你真是一个充满活力的女孩,很难想像这么小的身体里竟藏了这么多能量,我在想你时看了赫兹有关电力传送的书,因为我不懂亥姆霍兹电动力学中最少运动原则的讨论。'"

"这太过理性，我喜欢的女生都像日本的自杀飞机。"

"那你就强调爱她到快死的地步。拿破仑给约瑟芬的情书说：'当我亲吻着你的双唇，沉醉在你的心窝，我却更加难过。爱情之火吞噬了我。亲爱的，请接受我一百万个吻，但请不要回吻我，因为你的吻会让我血液沸腾。'"

"女生会不会觉得这种花痴没出息？"

"没出息？这种花痴几乎做了欧洲的皇帝！"

"你这些诗都太过文艺气息，薇琪自然而野性，不会喜欢这种雕琢的感情。"

"那你就要学大陆人的口气。大陆作家王力雄在1998年出了一本书，书中说他在西藏怀念内地的情人，发了一通电报说：'昨夜我做了一场春梦，你妈上街买菜，我啃了你一口！'"

"然后呢？"

"电报以字计费，他写到这儿就没了。"

"这太露骨了！我还是喜欢抽象的东西。"

"那你就学南宋女词人朱淑贞，她在情书上画了许多圆圈，大圈、小圈、单圈、双圈、全圈、半圈等，然后写：'单圈儿是我，双圈儿是你……全圈是团圆，半圈是别离……'"

"你难道不知道大多数女生都很讨厌数学，你何必去挑战她们的弱点。"

"好吧，那你就什么都不写，学英国诗人伊莉莎白·伯朗宁：'我那些赞美的言语是何等无能！所有的男人都在赞美你，

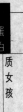

却无人能捕捉你的风采。我爱你至深,深到我只能爱你,不能作文。'"

"我懂了,就像艾略特说的:'我们不需交谈,却想着相同的念头。我们胡言乱语,不需要有任何意义。'"

"碰到这样的女人多好……"张宝撑着头,望着窗外,我突然看到一个从来没有恋爱过的小孩。

悲伤往心里塞,表面上好像中了六合彩。薇琪不理你,你痛苦地想往窗外跳。遗书已经写好,拿起厨房的水果刀。这时爸妈走进来,问你是不是感冒。你说开什么玩笑,我在等我热的小笼包……

防卫机制

防卫机制

上礼拜写给薇琪的情书石沉大海，我感到彻底的挫败。

"没关系，"张宝安慰我，"让我教你一些防卫机制。"

"'防卫机制'？"

"弗洛伊德说人在焦虑时会不自觉地产生某些反应以纾解压力，这些反应就叫做防卫机制。"

"可是我没有什么不自觉的反应——"

"很好，否认就是防卫机制之一。我今天要教你将这些不自觉的反应'自觉化'，化被动为主动，让自己迅速摆脱烦恼。"

"比如说……"

"首先是'否认'，就是自欺欺人。挫折来时用力关门，否认整件事情的发生。下班后仍到她公司去等，等到越晚越有精神。薇琪没回信，因为信被邮局寄丢了。事实上她天天在等你的消息，5分钟检查一次 message。"

"但这怎么解释她用各种藉口拒绝和我出来？"

"那你就想，她……她得了绝症，不想拖累到你，只好拒你千里，让你彻底死心。"

"她看起来那么健康都有绝症，那你我岂不成了鬼魂？这招不行，我太过清醒，无法自我蒙蔽。"

"第二种机制是'压抑'，悲伤往心里塞，表面上好像中了六合彩。薇琪不理你，你痛苦地想往窗外跳。遗书已经写好，拿起厨房的水果刀。这时爸妈走进来，问你是不是感冒。你说开

什么玩笑，我在等我热的小笼包。朋友耐心地开导，你转变话题说今天听到一个笑话很好笑。朋友说你真能把她忘掉？你潇洒地说天涯何处无芳草。朋友走后你吃安眠药，上床时还摔了一跤。夜里你仍然睡不着，满脑子都是薇琪的好。"

"这招需要表演天分，我的演技不够逼真。"

"那你就尝试'退化'。遇到压力时，你可以表现出人生早期，如童年的行径。薇琪不理你，你开始摔家里的东西。家人问你什么事情，你摆着臭脸不发一语。朋友来安慰你，你说不用你们假惺惺。"

"亲友是我仅存的支柱，失去他们我就全盘皆输。"

"第四种叫'相反的形成'，压抑自己真实、但社会不能接受的感觉，而表现出社会能接受的反应。你明明要薇琪甩掉未婚夫和你私奔，两人搬到美国南方的小镇。但你嘴巴上祝福他们永远幸福，参加婚礼还包了两万五。你坐在主桌看他们不断换衣服，一直告诉薇琪妈妈你女婿会对薇琪很照顾。他们最后向亲友敬酒，你还一桌桌带路。他们最后走进洞房，你还替他们点蜡烛。"

"士可杀不可辱，我没办法这样服输。"

"那你就'移转'，放弃想追求却得不到的事物，改以另一个不想追求，但比较容易得到的事物取代。薇琪拒绝你，你去追她的朋友莎莉。说服自己薇琪太过美丽，迟早会背叛你。莎莉只有气质，婚后比较不会出事。薇琪三心两意，莎莉死心塌地。薇琪整天想上媒体，莎莉却喜欢烧饭洗衣。"

"莎莉是有许多优点,不过她是 lesbian。"

"那你可以'缩小化',将得不到的东西的重要性降低。薇琪拒绝你,其实没有关系。爱情毕竟只是调剂,婚姻只是人生的一步棋。你抓不住女人的心理,不了解她们的逻辑。爱她爱到昏天黑地,她只把你当作追求者之一。时间浪费在这里,转眼就错过商机。毕竟做生意比较实际,一分存款就有一分利息。"

"可是我对做生意完全没有兴趣。"

"那你'升华',将爱的能量转移到其他更高贵的理想。你可以致力于环保,发明治疗癌症的新药。抗议贵妇穿皮草,收养流浪的狗和猫。"

"这世上诱惑太多,我很难寡欲清心。女同事的化妆品,捷运上对面乘客的短裙。路上情侣的背影,好莱坞电影里的激情。每次看到这些东西,我都压不住自己的性情。"

"那你就试试'合理化',对灾难编出一个有利于自己的解释。薇琪要结婚,因为那男的不久于人世。为了让他安心地死,薇琪陪他过最后的日子。"

"我不要把自己的快乐建筑在别人的死亡上。"

"好,那你只剩下最后一条路,就是'反应控制',故意装出和你内心感觉相反的反应。你悲痛欲绝,但要表现出衣食不缺。你想要揍人,反而躲在家里自虐。"

"我又不是疯子。"

张宝摇摇头,"这样你就无路可走了……"

我绝望,像一具骷髅,掉入没人注意的水沟。

好友

大四那年一个男的把她肚子搞大，她半夜跑来问你能不能帮她。你跑到宿舍给那男的一顿毒打，临走时还大声痛骂。你带她去圆环一家诊所，挂号时说你是孩子的爸爸。护士说你长得跟我们院长很像，给你八折算四千八……

好友

上礼拜我建立防卫机制,心情仍感到迷失。此时昔日的好友从美国回来度假,晚上和我约在西华。

"晚上一起吃饭!"张宝打电话来。

"我的好友从美国回来,我要和她见面。"

"男的还女的?"

"女的。"

"难怪你这么急,小别胜新婚,今晚台北一定地震。"

"我们是朋友,不是你想像的那种关系。"

"当然不是……"张宝讪笑着。

你摇头,不想跟张宝追究。

你们是最好的朋友,小学时你坐在她背后。上课时你拔她头发,在她头上抹西门子地板蜡。射橡皮筋时你把她当靶,下课时偷她的橡皮擦。楼梯上你抬头看她内裤上的小花,向全班宣传她的屁股很大。她把你推在地上打,你一拳挥掉她的门牙。她回家告诉爸爸,她爸爸打电话给你妈。为了让你们和好,双方家长带你们去看《大白鲨》。你记得最后大白鲨把嘴张大,男主角丢入炸弹让它脑袋开花。

那天过后她不再找碴,你不再在她背上贴"母夜叉"。晨间检查她借你手帕,班会时提名你当纠察。午睡起来练习书法,你写得很快她一直叫你等她。放学后你们交换漫画,你常到她家看《科学小飞侠》。她笑你没有铁雄潇洒,你说她的胸部没有

你的生活中人马杂沓，夜阑人静时却感到如
此贫乏。

珍珍大。看完卡通看综艺节目，她喜欢站在桌上学包娜娜。她
的麦克风是一支扫把，唱《午夜香吻》时咬着一朵玫瑰花。

国中时她开始学琵琶，你坐在音乐教室外听得发傻。练完
琴后你替她拿谱架，两个人一起坐公车回家。她替你扶正风吹
乱的头发，你幸福地说不出一句话。第二天早饭你为她买蛋
塔，午餐她为你准备了西瓜。补习后你们去吃消夜，叫牛肉面
时记得她不加辣。你本是一支癞蛤蟆，在她身边变成了蝙蝠
侠。你穿着盔甲骑着白马，她是沉睡的公主等你亲吻她的
脸颊。

高中时她开始留长发，每天上学被教官抓。你被选入乐
队，吹比你还重的大喇叭。校庆园游会你们班上玩十八拿，她
来捧场赢走所有的甜不辣。放学后你们去植物园背北洋军阀，
她永远记不得盐的学名是氯化钠。忘记时她眼睛不停地眨，你
的幻想快乐得不想回家。

高中毕业你们上同一所大学，你念外文她读司法。你开始
迷上莎士比亚，买了一顶中世纪的假发。她开始信仰喇嘛，每
餐只吃青菜和苦瓜。她参加学生运动，推动修改大学法。你爱
上奥菲莉亚，背熟整本希腊神话。法学院很多男生追她，她渐
渐没时间回你电话。你在追中文系一个女生，只因为她长得
像她。

大四那年一个男的把她肚子搞大，她半夜跑来问你能不能
帮她。你跑到宿舍给那男的一顿毒打，临走时还大声痛骂。他
倒在地上问外文系怎么会教这种文法，你补踢一脚说你专心流

血少废话。你带她去圆环一家诊所,挂号时说你是孩子的爸爸。护士说你长得跟我们院长很像,给你八折算四千八。

　　然后你们长大,开始在不同角落挣扎。大学时意兴风发,如今天天被老板臭骂。同事间只能谈八卦,爸妈每天催你成家。生活变得很复杂,快乐飘渺得像掌中的沙。你开始常讲"算了吧",年少的理想一一作罢。别人问你"快乐吗",你总是久久不回答。别人问你的生涯规划,你开始顾左右而言他。梦中醒来你常会害怕,感觉天花板突然倒塌。你的生活中人马杂沓,夜阑人静时却感到如此贫乏。

　　你们偶尔见面,每次都是很短的时间。她的委屈你耐心倾听,让她在你怀中哭个不停。你追的女人她都批评,骂你为何眼高手低。你曾代她和男友谈判,激动时推倒桌上的餐盘。她曾代你向女友求情,说你为了她得了心脏病。她教你如何取悦女性的身体,你才了解其实不一定要那么用力。但她同时给你打击,承认尺寸大小的确有关系。你告诉她当男人和你谈人生道理,心里想的是如何脱你的内衣。男人一再地拖延婚期,真正的原因是他根本不想娶你。

　　时间过去,你们开始为彼此着急。她很热心为你相亲,你给她面子勉强出席。你回来说那女生条件不及你的十分之一,若要娶她还不如娶你。她表情非常甜蜜,一点都不像快接近更年期。

　　几年后她移民到温哥华,嫁的医生可以当她爸爸。你留在台北工作,忙得有了高血压。每年一张圣诞卡,她告诉你最近开始练瑜珈。周一周四学书法，周二周五上插花。她说别笑我附庸风雅，我家墙上也挂起名画。最后说四月要回台北度假，想约你到饭店饮茶。

"好极了，"听到这里张宝大叫，"她还是有夫之妇！你们忍了这么多年，现在终于火山爆发。"

"我们是朋友，这份友情得来不易，我不会用性破坏了它！"

"你等着瞧，你完璧归赵我不叫张宝！"

我笑一笑，心想明天就可以给他另一个称号。我坐上计程车，想起就要见到好友，我的心开始兴奋地跳。

你亲吻她的额头，她自然地转过头去。你亲吻她的脸庞，她笑说你把她弄得很痒。你亲吻她的嘴唇，她这才知道你很认真。她把你推开，你粗暴地把她拉回来。她用力抵抗，你刹那间失去主张……

你抱住她

你

抱　住　她

她是一件美丽的洋装,和我在一起却渐渐发霉。

你抱住她

上礼拜张宝赌我会和多年不见的好友发生关系,我笑他低估了我们的友情。

"你的头怎么越来越光? 身材越来越胖?"

她在饭店大厅拍我肩膀,我转身的姿势学 James Bond。她拉我手掌,微笑立刻温暖了我的心房。

"我们去夜市吃蚵仔面线。"

我们走在通化街,她自然地勾着我的臂。抬头问我走得累不累,关心的神情像是我妹妹。她问我现在在泡哪个美眉,我说最近的手气很背。台北的女孩不好追,她们愿意亲热却不愿亲嘴。她问那个蛋白质女孩怎么会吹,我说幸福来时我不知如何应对。她问为什么不向她道歉,我说大丈夫有所为有所不为。她说那个台湾国语是不是很美? 我说我不想变成她的累赘。她是一件美丽的洋装,和我在一起却渐渐发霉。她说你像个乌龟,女人碰到你真是倒楣。一两次小小的挫败,养成你奇怪的自卑。你拒人于千里之外,用礼貌小心防备。她已经对你剖心挖肺,你还老觉得她图谋不轨。她说你是不是 gay,我呛得眼睛发黑。她说你呛到一定是心里有鬼,难怪你会穿衣服身上老有香味。我说人不能做垃圾分类,你不要相信那些 clich。她说这没什么好自卑,多年的老友你可以在我面前出柜。她说你一个人咋过,我说我喜欢在车上听王菲。有时开车时有点醉,撞到人只好乖乖理赔。她说你虽然四肢健全,骨子里是个

212

残废。家里应有尽有,其实是个垃圾堆。

　　我说你婚后的生活如何,她说至少周末有个人陪。老公不喜欢和她亲热,却喜欢吸她大腿。她怀疑老公有肾亏,也有可能是阳痿。然而他和秘书又很暧昧,他每次讲完电话她都想问是谁。有一次她发现他身上有抓痕,以后每晚趁他睡着时检查他的背。我说没有工作你难道不觉得乏味,她说我有一个很好的 microwave。你应该吃我的烤鸡腿,金色的皮又薄又脆。下午偶尔去标个会,插花课上我最拿手的是玫瑰。我说你难道不想有自己的事业,她说明年我 41 岁,晚上越来越不能熟睡。夜里厕所要上好几回,早上起来酒还想再喝一杯。我说你在大学时曾把老国代逼退,信誓旦旦将来要有一番作为。她说她记不得那个女孩是谁,想起年少便觉得疲惫。我说想不想搬回台北,她嫌这里的停车费太贵。我说你的朋友都在这里,她说朋友们迟早会四散纷飞。

　　我们吃完饭回到饭店,她请我看她房间。床头电子钟闪着两点,她检查语言信箱却没有留言。我们并肩坐在床边,她要我帮她拉下背后的拉链。我瞥见她胸罩的蕾丝边,咽下涌上的口水。她脱下高跟鞋踢到床下,我说要不要我帮你捡。她问我今晚能待到几点,不等我回答就走进洗手间。她说她要先洗个脸,你要不要打开电视看 CNN。我可以听出她没有拉上浴帘,莲蓬头的水往浴缸外溅。我看到敞开的门露出的灯光,不知为什么竟觉得刺眼。我打开 CNN,那斯达克跌了 300 点。我心不在焉,好奇她洗到哪个部位。突然间电话响,她围着浴巾跑

你

抱住她

她是一件美丽的洋装,和我在一起却渐渐发霉。

出来接。背对着我,身上的水珠滴到我的皮鞋。她突然转过身,做手势说是她老公来电。越洋电话,只为责怪她洗好的袜子为什么没有放在原点。她挂下电话,湿手拍我的肩。笑说你以后对老婆,不要用 stupid 这种字眼。她走回浴室,从浴室问我要不要点 room service。我知道我应该回家,再拖下去恐怕不能把持。但我赖在那里,希望能得到更多的东西。我开始怀疑我为自己定下的规矩,也许真的太过严厉。

她走出来,穿着一件白色 T 恤。T 恤有些透明,你可以看到里面没有其他的东西。你们在沙发上坐下,房内一片黑漆。中央空调不断送气,你却有点窒息。她说我明天早上的飞机,以后你要好好照顾自己。台北的好女孩很多,你不要太过挑剔。想知道她是不是真的爱你,结婚前告诉她你有隐疾。一亿的负债就要到期,黑白两道都要置你于死地。如果她还愿意嫁你,你知道你们可以生死相依。讲到这里,她意识到自己的不切实际。笑倒在地,你却绷得更紧。突然间你感到孤寂,仿佛站在悬崖峭壁。你没有跳下去的勇气,快乐又这样遥遥无期。你亲吻她的额头,她自然地转过头去。你亲吻她的脸庞,她笑说你把她弄得很痒。你亲吻她的嘴唇,她这才知道你很认真。她把你推开;你粗暴地把她拉回来。她用力抵抗,你刹那间失去主张。

你知道自己犯了大错,站起来想要灭火。你对不起一直说,她的 T 恤已被你撕破。你走到门边,她坐在床缘。你转动门把,她轻声说你好傻。你说你只是害怕,怕永远没有自己的

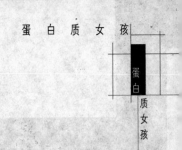

家。她说你是一个好男孩,上帝对你会有特别的计划。你走回来抱住她,想起当年你在她头上抹地板蜡。一起练书法,她提名你当纠察。你听她学琵琶,她来你们班玩十八拿。你陪她到圆环的诊所,理直气壮地说我是孩子的爸爸……

你抱住她。

你赚的钱也许不用最高，但表现一定要最好。你可以失败，但必须不屈不挠。

专业素养

专业素养

上礼拜我送好友上飞机,心情跌到了谷底。张宝带我去参加派对,我为女性宾客感到吃亏。

"为什么这些派对总是女多男少?"

"台湾未婚女性与男性的比率是 1.5 比 1,你难道不知道?"

"可是昨天女生是男生的三倍!"

"你说得对……这是什么原因……"张宝陷入长考,半年来第一次用大脑,"我想这跟专业素养有关。"

"什么?"

"你回想我们参加的这些派对,女性的职业很多样。有女工、有总机、有经理、有医师。有的在工厂做事,有的办公室里有自己的浴池。但男性的背景就很单纯,他们一概是外商的中级经理,衬衫领子上有两个扣子。你从没在这种派对上遇到……好比说,当警卫的男士。"

"嗯……"我深思。

"我们碰到的女性虽然职业不同,但有一点却很一致,那就是她们都很美丽。男性虽然背景类似,但外形就参差不齐。你有没有想过,这是什么原因?"

我的眼睛慢慢张开,好像揭发了一个大阴谋。

"没错,"张宝替我说,"主办人对女性的要求,只要漂亮就好,因为来的男子不会在乎女生托福多高,会不会分析思科的股票。反而职业平凡的女生,给他们的压力较小。谈话可以只

女人选男人则像在买股票,你必须要有题材可炒。

谈皮毛,不会识破他们老用的那几招。但是主办人对男性的要求,则是公司和头衔要罩。头衔是英文缩写,工作内容没人听得懂最好。因为来的女子对男子的社会地位十分计较,你赚的钱绝对不能比她少。"

"天啊,这是……"

"一种沙文主义。男人重脸不重脑,大家都已经知道,所以这部分还不可怕。真正可怕是,女人这种沙文主义更微妙,你被歧视了还不知道。她们不重外表,似乎境界很高。但她们会盘算你能不能依靠,车子房子这些基本需求会不会少。像男人一样,她们把你带出去时也想感到骄傲,让她的朋友赞美她真会挑。在这种派对中,男人选女人像在买面包,外表的色香味最重要。女人选男人则像在买股票,你必须要有题材可炒。"

"不,我不信! 女人怎么会这样? 她们不是比男人更重视内涵和情调?"

"你是在讲 30 岁以前的女人。30 岁以后的女人都很实际,因为她们生理上已经开始拉警报。交往是为了要结婚,没人有空跟你穷耗。你想和她午夜情挑,她只想看你们婚前的健康检查报告。她们要确定你的工作能让一家吃饱,小孩能去上美国学校,身上随时有大笔现钞,瑞士银行的账号记得很牢。"

"好险你告诉我,最近我在考虑要不要辞职去当艺术家,因为我认识的女人都说有才气的男人才有味道。"

"千万不要掉入圈套。除非你的身价像梵谷一样高,而就算梵谷也是死后才被当成宝。"

　　"可是电影中常演美女嫁给了穷男人,只因为他能让她发笑。"

　　"除非你能每天不停耍宝,半年后还有新花招。"

　　"我只会讲两个笑话,女人听了后都说时候不早。"

　　"那你还是努力培养自己的专业素养。"

　　"到底什么工作最能得到女子的青睐?"

　　"那些乍听之下不知道在干什么的:企管顾问、投资银行家、系统分析师、基因工程师……"

　　"我怎么懂那些。"

　　"那你就保住你的工作,不,保住还不够,你必须在专业上有杰出的表现。你赚的钱也许不用最高,但表现一定要最好。你可以失败,但必须不屈不挠。你可以是赌徒,只要你输赢都拿得出现钞。你可以是杀手,只要你开枪的手不会动摇。你可以是江洋大盗,只要你让警察抓不着。你可以在巷口卖膏药,只要它真能将所有的隐疾治好。没有女人会尊敬没有专业素养的男人。如果你做业务,每个月都达不到销售目标,她会嫌你个性软弱或口才不好。如果你是作家,每天窝在家里摇头晃脑,她会嫌你写的东西一定不畅销。"

　　"但是我如果花很多时间把专业弄好,哪有时间陪她们?"

　　"喔,这不重要。你没听过日本男人如果下班后立刻回家,老婆反而会觉得羞耻。"

　　我突然开窍,决定明天上班要提早。可以考虑读夜校,学一学最新的电脑技巧。我要培养专业素养,把我的身价提高。

LS 2504

那时我年轻、纯真、主动、热情，容易被惊喜，说话没有反讽的口气。我早起、写日记、不用手机，爱上后总是焦急。我急欲相信，急欲掏空自己，急欲冒险，急欲在搞不清对方想法时先说我爱你……

LS 2504

上礼拜张宝带我去派对,我打破了好几个茶杯。

"你怎么了?"张宝问。

"我还是想着薇琪。"

是的,想她喜欢的 Billie Holiday,星期六下午阴暗的客厅,你们各靠着一面墙壁,伸长腿,脚趾对脚趾地听。三小时不发一点声音,脚趾间却说了千言万语。想她脚趾上的指甲油,两小时的作品。脚趾间夹着棉花,棉花露出满足的表情。她是如此专心,甚至不准你站起来搅乱四周的空气。想她逼你吃绿色的花菜,打汁时不准你躲开,威胁你不喝就别想做爱,你皱着眉头,喝了一口就吐出来。想她在你生日那天快递给你一个望远镜,下午三点叫你隔着民生东路看对面 17 楼的公司的 lobby。她站在落地窗前,对你慢慢撩起上衣。想你们约定那晚第一次上床,你千辛万苦弄到一颗威而钢。你和所有朋友深谈,他们帮你列了一张清单。她把头发挑染,口红的颜色特别淡。你把手放在她的肩上,她的脸苍白得像一碗豆浆,你紧张得一下子喘不过气,咳得肺都往上移。你解开她的睡衣,里面竟然有一张 3M 的 Post-it,上面是一则黄色笑话,你笑得跌倒在地。想当她搬到新家,屋内什么都没有,第一件事却是去诚品买食谱,照上面的指示买原料和厨房用具,前后花了八小时,只为她坚持要亲手做东西给你吃。你吞到嘴里难以下咽,却说这是我吃过最棒的海鲜。想她在去纽约的飞机上打电话给你,老板正和

你讨论思科股票的本益比,她告诉你此刻正飞过你们去过的斐济,你对老板说对不起我要接这个手机。想你们在斐济的阿库拉小岛,两人各坐着一具拖曳伞飞上天,风把你们越吹越近,近到让你能迅速亲吻她,然后两支伞缠在一起,你们一起掉进海中喂鱼。想起她到纽约后传真给你一张白纸,右下角写着蝇头小字"没有你的在纽约的我"。你在办公室回传给她一张黑纸,上面写"没有你的台北的白天"。传完后你忘了拿回原稿,女老板拿着那张纸走到你的座位,"你们认识多久?""两个礼拜。""Slow down, boy..."她说。想起她在健身房跑步,你去找她,在忠孝敦化站下捷运,快步跑上电扶梯。你到了健身房,看她汗湿了 T 恤上半身的背影,不忍心打断她,于是站在墙边的哑铃旁,一等就是一个小时,原本去找她的理由最后完全忘记。想起她帮你剪头发,因为技术不佳,原本要剪谢霆锋的发型,最后剪成成功岭的发型,一个月后你在沙发夹缝里发现当天剪下的头发,还有她一张如何剪发的笔记。想起她生病时你帮她量口温,她躺在沙发你坐在她身旁,她含着口温计无声地说"我好怕"。你说那我们量肛温好了,这样你至少可以跟我说话。想她生气时用高跟鞋踢你,离开时用力按电梯,走进计程车把你的钥匙丢在地上,车内的背影正掩面哭泣……

"你记得计程车的车号吗?"

"车号?"

"是不是 LS 2504?"

"LS 2504?"

"那是我多年前女友的车子。那时她下班后都会来接我，我看到 LS 2504，觉得一天从这里才开始。和她分手后，我下班后站在公司大楼门口，一站就是一个小时，每一辆开过或停下的车，我看到的车牌都是 LS 2504。"

"你也会这样？"

"那时我不像现在这样，"张宝说，"那时我年轻、纯真、主动、热情，容易被惊喜，说话没有反讽的口气。我早起、写日记、不用手机，爱上后总是焦急。我急欲相信，急欲掏空自己，急欲冒险，急欲在搞不清对方想法时先说我爱你。那时我不玩游戏，觉得诚实能缩短两个人的距离。不怀疑，事情古怪时先笑自己多心。那时我爱她，爱她的爸爸，爱她的弟弟，爱她的 CD。我努力，让自己有更好的身体、个性、品味和财力。我积极，每天送她不同的东西，研究了无数的小说和电影，希望在她面前变一些别的男人没玩过的把戏。我一直以为我们的矛盾没什么稀奇，差异没有太大的关系。最后我们会在一起，婚礼可以办得让爸妈高兴。一直到她说明天就要上飞机，我还问回来时要不要我来接你。"

"后来你怎么办？"

"我经历了 LS 2504 时期，在医院打了几天点滴。白天听隔壁病人叫痛，晚上睡觉开始吃镇静剂。早上起来先打开 ICRT，冲冷水澡让我颤抖着无法想别的事情。我每天加班，晚上尽量不一个人待在家里。找朋友，在昂贵的餐厅吃单调的 spaghetti。胡椒加得很多，因为味觉变得不太灵。水喝得很

223

每一辆开过或停下的车,我看到的车牌都是 LS 2504。

少,因为没有拿起杯子的力气。朋友谈,我跟着笑,只是表情僵硬,声音变得很低。我跟着讨论正在演的电影,男女主角最后怎样总是记不清。当朋友们热烈的讨论突然停止时,我的脑袋会突然闪过一段回忆,像一阵凉风吹过脚底,所有遗忘的努力都前功尽弃……"

"然后呢?"

"然后你重复同样的过程,四、五次后,你会觉得体重越来越轻。最后,也许你现在很难相信,这一切都会过去。"

"会吗?"

张宝点头,我看着今天的他,想起他描述的昔日的自己,不知为什么突然觉得更难受。

她笑说你小得可以当我儿子，当你长大我已五十。到时你会爱上年轻的女子，我会是你幸福的绊脚石。她拍拍你的肩膀，提醒你下节课还要考试。你倒在地上，制服被你哭湿……

5月9月恋情

5 月 9 月恋情

上礼拜我学习如何想念女生，上上礼拜派对中认识的女子突然来敲我家门。

"我找到了！"我高兴地对张宝说。

"找到什么？"

"我的真爱。"

"你的什么？"

"我的真爱，她年纪比我大，我感觉自己是她的小孩！"

"万万不可，"张宝给我一巴掌，我倒在地上，"我看过太多男小女大的爱情，结果都是上法庭或下地狱。她是你小学的导师，右眼下有一颗痣。当你的女同学都在换牙齿，她看起来像维纳斯。肤色透明得像荔枝，胸部突出得像包子。身上闻起来像鲜果汁，遥不可及如蒋介石。当她在台上教夏商周的故事，其实是开启了你的情史。中午时你专心地看她进食，不小心竟咬断口中的筷子。你爱她爱到什么都不吃，舌头却一直舔着汤匙。午睡后她教你写毛笔字，雪白的手紧握你的手指。下午她讲蕨类的无性生殖，你幻想能和她独处一室。为了她你每天自愿值日，记事本写得好像是一首新诗。周记上的本周大事，你写的是老师穿了一件新的裙子。她的评语是谢谢你注意，赞美你有细腻的心思。你把这当作暗示，开始对她发动猛烈攻势。你为她写了一首词，引用她教你的红豆生南国春来发几枝。你偷偷放到她的办公室，上面署名无名氏。你顺便偷了她办公桌

下的鞋子,准备拿回家试一试。她看出是你的字,下课时要你
陪她走到荷花池。你沉不住气说没有你我会死,不能爱你我宁
愿进少林寺。她笑说你小得可以当我儿子,当你长大我已五
十。到时你会爱上年轻的女子,我会是你幸福的绊脚石。她拍
拍你的肩膀,提醒你下节课还要考试。你倒在地上,制服被你
哭湿。"

"这不一样,当时我很幼稚。"

他瞪我一眼。

"好,现在的我也不过如此,但至少不再是小孩子!"

"那没有差别,你还是在追求5月9月恋情。"

"'5月9月恋情'?"

"你的人生还在暑期,她已进入秋季。你的青春痘还在挤,
她已经接近更年期,"他劝我,"街上这么多漂亮的女孩比你年
轻,何苦偏偏找一个阿姨?"

"年轻女孩只喜欢玩游戏,年纪大的女人懂得如何建立
关系。"

"建立关系的意思是把你盯得很紧,你最后一定会喘不
过气。"

"年轻女孩暴饮暴食,她懂得细嚼慢咽。"

"她不用拚命赚钱,当然比较有美国时间。"

"年轻女孩没有经验,她懂得哪种姿势走得最远。"

"但年轻女孩勇于尝试,她只能固守城池。"

"年轻女孩口味多变,但她可以爱你几十年。"

"那是因为她已经有老花眼，看不出很多男人有比你更好的条件。"

"年轻女孩爱炫，她爱缘。"

"那是因为她失去信仰，开始追求形而上。"

"年轻女孩拚命在大公司求升迁，她却不流俗地自己开店。"

"那是因为她失去斗志，不再在乎得失。"

"年轻女孩非常爱现，她却有一种中年的腼腆。"

"那是因为她缺乏自信，承受不了被拒绝的打击。"

"年轻女孩嘴巴很甜，她却不会随便把你捧上天。"

"那是因为她怕你觉得自己太好，转过头就把她甩掉。"

"年轻女孩对你的兴趣会与日俱减，她却每天都能发现你新的一面。"

"那是因为她愿意妥协，告诉自己野百合也有春天。"

"年轻女孩谈恋爱在耍老千，她谈恋爱像在种田。"

"那是因为她的外表已不容易让人受骗，她只好退求其次走务实路线。"

"年轻女孩想你顶多把你的号码放到手机里面，她想你却可以整夜失眠。"

"那是因为她觉得不安全，一上床就开始钻牛角尖。"

"年轻女孩的高潮很浅，她却可以重复一百遍。"

"这个你没有亲身经验，我懒得反驳你的论点。"

"年轻女孩看到小孩就怕，她已经有一个儿子在地上爬。"

"你自己都还没长大,怎么做她小孩的爸爸?"

"听着,"我从地上站起来,"我爱她,没什么能让我改变!她虽然年纪稍长,却充满对生命的欲望!"

"当然,她正处于狼虎之年!"

"你闭嘴,"我后退,"你根本还没见过她,就开始喊捉鬼。我已经厌倦了你为反对而反对。一年来,每次我想追求真爱的滋味,你总要警告我最后都会人事全非。你在银行操作外汇,大赢大输头也不回。面对自己的情感,为什么永远是缩头乌龟?为什么你没有勇气尝试一点非理性行为?为什么你总是急着做消防队?"

"因为你没有本钱血本无归。"

"你等着看我……"

"她老得可以当你外婆,这将是一场灾祸!"

我决定赌博。

我重复使用相同的招术，骗到女生越来越觉得胜之不武。

真实时刻

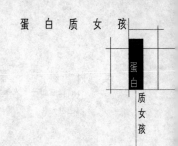

真实时刻

上礼拜张宝阻止我追求 5 月 9 月恋情,我迷惑之际生了一场大病。

"你应该像我一样每天晨跑!"一大早张宝满身大汗地跑到我家。

"不用了,我一向健康,这次只是反常。"

"晨跑不全是为了健康,有时跑到一半幸福会从天而降。"

"你是说……"

"我的真实时刻终于发生了。"

"'真实时刻'?"

"每个人一生都有一个片刻,那一刹那你会完全展现你的性格、价值、命运和美德。"

"你的真实时刻是……"

"那天我在晨跑时遇到了我的新娘。我那时戴着耳机,听着无印良品的'胡思乱想'。回忆涌上心头,我不出声地跟着唱。此时她从对面跑来,看我的眼神落落大方。她摘下我的耳机,说你长得有点像光良。你正唱到'也许我不知道你真的那么好我的思念你又明了多少',这刚好是整首歌我最喜欢的地方。"

"你说你在晨跑时遇到了你的什么?"

"新娘。"

"你……"

"5 月 20 号你有没有事?"

"你想去舞厅?"

"我要你当我的伴郎!"

当天晚上张宝介绍我和她认识。

"你不能娶她!"事后我警告张宝。

"为什么?"

"她是蛋白质女孩!"

"蛋白质女孩最适合做老伴!"

"她相貌平凡、身材像切菜板、学历只有五专、动作十分缓慢。她是你过去所有女友的相反!"

"当你有了真爱,爱情就不再有任何门槛。"

"你怎么知道你对她有真爱? 搞不好只是因为最近没有认识别的女孩?"

"你有没有想一个人想到胃痛,吻一个人吻到嘴巴肿?"

"等一等,你不能结婚。你只是暂时性的疲倦,你,你站好,让我给你一拳。"

"这不是暂时的。我已经厌倦了单身生活。中午过后就开始约晚上的节目,只是害怕下班后一个人独处。我重复使用相同的招术,骗到女生越来越觉得胜之不武。上床后我们比先前更为生疏,两个人都希望对方今晚不要在这里住。刚刚才将她视如己出,立刻就感觉她只是昨晚看过的综艺节目。

有时候没有约到任何女人,站在捷运站突然觉得很冷。不断检查有没有人留言,戒了好久终于又忍不住点烟。走到餐厅菜单看个很久,不自觉地脚开始抖动。菜上来了你只想快快吃完,感觉成对的客人都在嘲笑你的孤单。十点多你不敢回家,想去找前几天认识的 Lisa。你拨了前七个号码,突然赌气说为什么每次都是我打电话给她?"

"这是你的个性,跟单身没有关系。"

"当然有,我要彻底改变我的生活。中午过后打电话给老婆,她接起来后你不用报名直接说是我。仔细问她今天早上怎么过,无聊的会议多不多。她说下班后能不能来接我,晚上一起去吃麻辣火锅。整个下午你安心工作,不再拿出电话簿不停地拨。"

"晚上见面不需刻意表现,语气和手势不必事先排演。坐下后不必替她点烟,结帐时不需假装抢着付钱。所有的菜都让她选,她会说你要少吃点盐。吃完后走在街上,彼此握紧对方的手掌。她问那个辣妹你觉得漂不漂亮,我说我喜欢你的自然健康。她说你难道不觉得我有点胖,我立刻谈起明天的气象。走到 Sogo 她拉我进去逛,为我买了一套西装。她说你需要亮一点的颜色,不要每天穿得像奔丧。回家后她去洗澡,我吃她做的蛋糕。她从浴室中大喊,别忘了今年我们的税要合并申报。我边吃边瞄她布置的花草,心想这才有家的味道。洗完后我帮她按摩脚;脚底的死皮小心地撕掉。电视上演着《北非谍影》,英格丽·褒曼正无奈地笑。我边按边说你的脚怎么这么小,她露出笑容已经睡着。"

"就这样,没有狂野的性?"

233

"就这样,我睡得无比安稳。不再有奇怪的梦,不再半夜醒来瞪着时钟。第二天她会先醒来。她穿着我的四角内裤,光着一双脚丫。我躺在床上看她刷牙,听她吹半小时头发。她叫我起来帮她找丝袜,扣紧红色的 Wonderbra。临走时她为了找不到钥匙而咒骂,我说你不需钥匙我永远在家。"

"这就是你要的生活?你令我想起我妈。"

"结婚最棒的是周末的时候,你醒来有一个人在你的床头。她睡觉时眉头会皱,好像在梦中试着把一首诗背熟。你们坐捷运去吃 brunch,买一张储值卡找回一堆硬币。她斜躺在你的身上,不在乎别人的眼光。下午一同去逛远企,两人牵着手在人群中挤。她要你帮她买 i. n. e.,你说钱要省着付贷款的利息。她走到电梯旁跟你生气,你说你怎么这么不讲理。"

"整个下午你们冷战,到了晚上她还不吃东西。你开始冷言冷语,说没想到你这么物质主义。婚前你都穿成衣,口口声声说读书是你最大的兴趣。她毫不留情地反击,说你怎么不说你买的那件 Armani。婚前你说要为我摘天上的星星,现在一定要 5 折才考虑。"

"没错,"我立刻说,"婚姻最后就是一连串无谓的争吵,你何苦往火坑里跳?"

"你不懂,争吵中也有爱的成分,你气得发疯是因为你在乎这个人。她不准我回房睡觉,我在沙发上慢慢睡着。半夜她出来把我的头扶好,我醒来看到她熟悉的微笑。我们在沙发上把彼此的衣服脱掉,吵架后的性爱往往更美好。"

　　讲理不行,我开始诉诸劣根性。

　　"你去结婚,便不再有权利认识漂亮的女人。"

　　"我问你,"张宝靠近,"你为什么这么反对我的婚事,完全失去理性?"

　　"我……"

　　"你平常一向保守纯情,为什么突然变得浪荡不羁?"

　　"我……"

　　"为什么?"

接下来呢？

有些女孩很真，有些很纯，有些很冷，有些很笨。有些像旋转门，有些像跑马灯，有些像聚宝盆，有些像地雷坑。有些可以私奔，有些敢爱敢恨，有些像多氯联苯，有些值得共度余生……

接下来呢？

上礼拜张宝问我为什么阻止他结婚，我开始扪心自问。

"你是我的好朋友，你应该祝福我有了好的归宿。"张宝说。

我说："你是我唯一的朋友，你结婚后我会很孤独。"

我回想过去一年，张宝每天在我身边。他教我如何追求女生，怎样变成更性感的男人。他对台北的女子归类评论，我仿佛都认识了她们。有些女孩很真，有些很纯，有些很冷，有些很笨。有些像旋转门，有些像跑马灯，有些像聚宝盆，有些像地雷坑。有些可以私奔，有些敢爱敢恨，有些像多氯联苯，有些值得共度余生。张宝带我冲锋陷阵，给我机会进攻得分。他给我阿Q精神，让我脸皮变厚几寸。没有张宝，我只能在电话旁等。没有张宝，我只能怨天尤人。

张宝摇头笑笑，"我能教你的也只有这些，我宣布你今天毕业。现在你要挑一双合脚的鞋，大方地走进这个世界。爱有时候像圣诞夜，有时像复活节，有时像华西街，有时像大荒野。有时像打猎，你只是为了证明你的优越。有时像锅贴，煮熟的方法必须从外到内。有时像洞穴，你躲进去逃避这个世界。有时像流血，停止它需要一点时间。有时像上学，你不喜欢但已习惯了你的同学。有时像下雪，完全遮住你的视线。有时像拿铁，是文化和品味的表现。有时像纸屑，用完后就被丢在大街。有时候无解，你爱的人是你姐姐。有时候犯贱，娶了妻又想纳妾。有时像北大西洋公约，你们的结合只在抵抗一个不复存在

237

下 来 呢 ？
认识女人像参加猜谜游戏，我是天才儿童但
得分很低。

的威胁。有时像联合国安理会，重大分歧永远无法彻底解决。不管它是什么，你必须亲身体验。你不能永远站在我旁边，赞叹或批评我的表演。"

张宝决定结婚，我最后只能祝福他们。婚期定在5月20，蜜月会在温暖的夏日。我答应当他的伴郎，为他打点婚礼的大小事项。其中最难的是邀请一年来他认识的女子来参加婚礼。我打电话给高维修女子，她口气冰冷得好像刚刚有人过世。我打电话给蛋白质女孩，她快乐得像刚吃了一个苹果派。安娜苏说她不再吃 RU486，今年秋天就要去上 NYU。迈阿密的寒冷说她不后悔爱上自己的老板，坚信真爱超越所有世俗的规范。

当然我也找了张宝帮我追过的 CSR，我仍相信贝尔是为了她的声音而发明电话。女强人离开了投资公司在网路创业，快要上市但公司仍不赚钱。坏女孩申请到了史丹佛的 MBA，频频问我旧金山的生活费贵不贵。搞了半天莎莉并不是 Lesbian，她只是刚好喜欢短发和 K. D. Lang（美国女同性恋歌手）。

虽然我极不愿意，但也找了镭射头。他依然英俊潇洒，听说是朱蒂·福斯特儿子的爸爸。我也找了90度裤子先生，他和薇琪刚在拉斯维加斯成为新人。听说他在婚礼上打扮成猫王，我一辈子都无法想像。我和90度促膝长谈，从 Graceland 谈到格林斯潘。

"你最喜欢的经济学家是谁？"他问我。

我看着一旁的薇琪，她微笑地眨眼睛。

"刚好是格林斯潘。"我说。啊，凯恩斯，就永远当作是我和

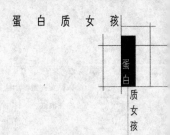

薇琪的秘密。

证婚人让我大伤脑筋。我本来想找大人物，但怕他们讲完话时台下已经开始打呼。最后找了张宝的老板，他是外国人所以致词会很短暂。

19 号那晚我为张宝举办了告别单身派对。我们去了一家酒廊，小姐一个比一个漂亮。张宝最喜欢的是 Linda，她坐在张宝身上身体软得像棉花糖。她自成一个磁场，整晚张宝粘在她身旁。我在一旁看得很紧张，口水咽得越来越勉强。张宝笑得很狂放，好像明天世界就要灭亡。

第二天到了中午张宝才起床，洗脸时还有点摇晃。我替他拍拍西装，准备开车去迎娶新娘。然后我在他西装口袋里发现 Linda 的名片。

"你带着这个干嘛？"

"我……"他支吾，"我摆错地方。"他抢回名片，上车时有些慌张。

晚上 5 点，双方父母去最后检查会场，我陪新人待在新房。蛋白质女孩在做最后补妆，我从来没有想到她竟可以如此闪亮。张宝一个人躲在厨房，昨晚的食物还没有吐光。门铃响，我打开……

竟然是 Linda！

"你来干什么？"

"张宝找我来的。"

这时张宝跑过来，汗水已经溶了他脸上的妆。

"跟我来……"他带着 Linda 走进楼梯间。

我跟上去,楼梯间的门被锁了起来。我用力敲了 10 分钟,门才慢慢打开。

张宝倒在我身上,领带已经松绑,脖子上血脉贲张,脸摸起来很烫。我们站在饭店 20 楼的走廊,却感觉踏在一朵云上。

"我不能结婚!"他抓住我的衣领。

"什么?"

他一直喘气,好像刚跑完百米。

"我不能结婚,我发现我还是会爱上别人……"

"Linda?"

他点头,我刷他一巴掌。

"你这个王八!"

"随你要杀要剐,但我必须说真话。"

"听着,那不是爱,"我抓住他的头发,"爱你的人在新房,Linda 喜欢你只是因为昨晚我们小费给得很大方。"

"不,Linda 是爱我的!"他推开我,喝醉酒一般摇晃,"我,我要走了,剩下的事你来挡……"

"等一等——"我抓住他西装的尾巴,他被我拉倒在地上。我抓起他,把他拖到墙上,"你今天一定得结婚!"

"不!"

"记不记得你上礼拜跟我说,你已经厌倦了单身生活,没有力气再对抗寂寞?"

"有了 Linda 我不会寂寞。"

"记不记得你说,你希望每天醒来有一个人睡在旁边,她的笑容圆满得可以用来发电。"

"那是我为了要结婚而自圆其说。其实每天醒来我最渴望的是 ICRT 的广播,听到昨晚 NASDAQ 指数又被打破。"

"不,"我大吼,"你不是一个这么物质的人!"

"不,我是!"他吼回来,我吓得退后三步,"我希望我不是,希望自己能欣赏女人的气质,对艺术不是这么无知,能勇敢地讲自己的心事,看到落叶能写一首诗。我试着要那样,但我做不到,"他站起来,拍掉身上的灰尘,"不要自欺欺人,你和我一样,只是你压抑得比较好。"

我坐到地上,想起一年来我们遇到过的女人。认识她们像参加猜谜游戏,我是天才儿童但得分很低。她们是深海我想探底,最后却惨遭溺毙。也许张宝是对的,追求心灵最后会身心俱疲,重视物质可以让这一切比较容易。

我惊醒过来,张宝不见了。

我冲到新房,只看见新娘困惑的眼光。我跑到典礼会场,50 桌的客人已开始抬头仰望。

"各位先吃瓜子!"

我冲到 lobby。

"他开礼车跑走了!"服务生说。

我跳进计程车追去。张宝开得很快,礼车上飘扬的红丝带好像在说"有种你过来"。我可以看到张宝的后脑,笃定得像一尊石雕。我把头伸出窗外对前面大叫,差点摔到路上的安全

接下来呢?

认识女人像参加猜谜游戏,我是天才儿童但
得分很低。

岛。他开过餐厅、舞厅、pub、KTV、我们的小学、中学、大学,他
猛按喇叭,好像是在对这个城市说一个笑话。就在他大鸣大放
时,他的车撞到前面一辆跑车。

一名女子从跑车上下来,身材和脸蛋都比跑车还要精彩。
她大骂张宝,三字经刺耳得像一把刀。如此美丽的女子用这样
的语言,你真的觉得上帝在和你开玩笑。

我走上前,张宝也走出来。我们三个人站在路中间,一切
又回到原点。

"接下来呢?"女子问。

我们对望。

图书在版编目（CIP）数据

蛋白质女孩/王文华著.
—上海：上海人民出版社,2002
ISBN 7－208－04035－4

Ⅰ.蛋... Ⅱ.王... Ⅲ.长篇小说-中国-当代
Ⅳ.I247.5

中国版本图书馆 CIP 数据核字(2001)第 098532 号

策　　划　邵　敏
责任编辑　曹　杨
组稿编辑　王楚凤
封面装帧　陈　楠
插　　图　梁嘉文
版式设计　梁嘉文

蛋白质女孩

王文华　著

世纪出版集团
上海人民出版社出版、发行

(200001　上海福建中路 193 号　www.ewen.cc)

新华书店上海发行所经销

商务印书馆上海印刷股份有限公司印刷

开本890×1240　1/32　印张7.75　插页4　字数137,000
2002 年 1 月第 1 版　2003 年 2 月第 14 次印刷
印数 336,401—356,400
ISBN 7－208－04035－4/G·775

定价 14.80 元